好かれる人は話し方が9割

中谷彰宏
Nakatani Akihiro

リベラル文庫

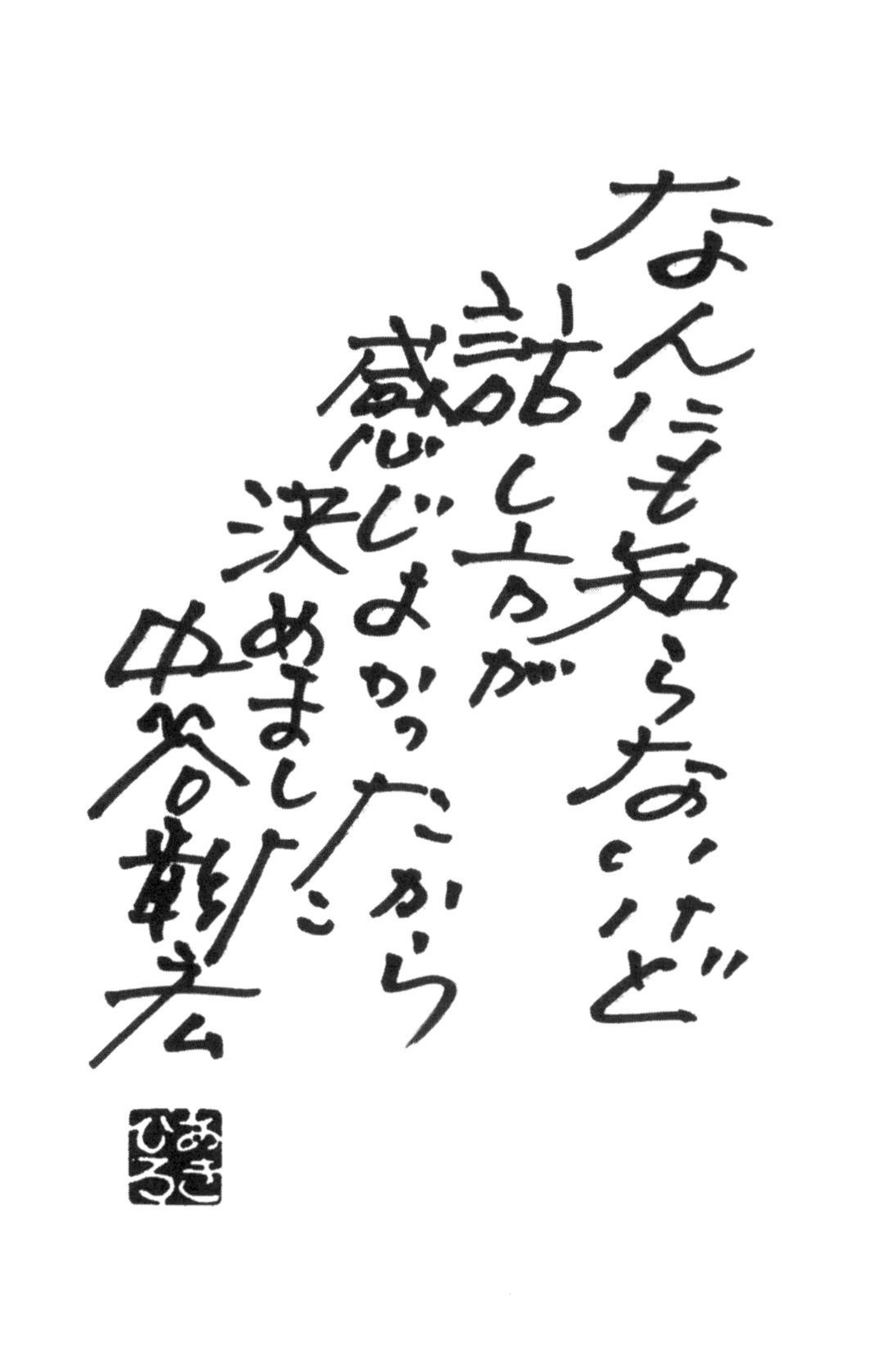
なんにも知らないけど
話し方が
感じよかったから
決めました
中谷彰宏
あきひろ

文庫版はじめに

好かれるかどうかの分かれ目は、ルックスでも性格でもなく、会話だ。

出会いは、会話から生まれます。
チャンスも、会話から、生まれます。
ワクワクも、ドキドキも、会話から生まれます。
「リモート会議になって、会話が難しくなった」
という声をよく聞きます。
リアル会議にあって、リモート会議にないものは、空気です。
今までの会話は、空気に頼っていたということです。
リモート会議になって、全員が、会話が難しくなったと感じているかというと、そうではありません。

リモート会議は、会話の苦手な人は、さらに会話が苦手になり、会話が上手な人は、さらに会話が上手になります。

それは、会話で好かれない人と、好かれる人に分かれたということです。

リモートは、会話で何が大事かということを、気づかせてくれるチャンスをくれました。

これからの時代は、リモートとリアルの組み合わせの時代になります。

リアルは得意だけど、リモートは苦手の人はいないのです。

リモートは得意だけど、リアルが苦手の人もいません。

リモート会話もリアル会話も、どちらも得意という人と、どちらも苦手な人との格差が、どんどん開きます。

そうなることで、今まで以上に、好かれる会話が大事になります。

好かれる人と、好かれない人の分かれ目は、ルックスでも性格でもなく、会話だったということに、気づいたのです。

リモートが増えて、会話が要らなくなったのではありません。

より一層、好かれる会話が求められているのです。

会話で好かれる人は、小さな工夫を積み重ねています。

会話は、勉強と体験で感じ良くなります。

勉強しないと、体験が減って、ますます感じ悪い会話になっていきます。

好かれない会話をしている人は、性格に問題があるのではありません。

好かれる会話の工夫を、知らないだけです。

好かれる会話の工夫を身につけることで、体験が増えて、ますます好かれる人になるのです。

2022年5月

中谷彰宏

文庫版はじめに

この本は、３人のために書きました。

1　会話で「感じが悪い」と思われてしまった人。

2　「うまく伝わらない」と悩んでいる人。

3　会話が苦手な人。

はじめに

01 「言葉」イコール「気持ち」とは、限らない。

会話で一番大切なのは、言葉を聞くことではなく、気持ちを聞くことです。

好かれない人は、相手の「言葉」を聞きます。

好かれる人は、相手の「気持ち」を聞きます。

言葉は気持ちとイコールではありません。

時に、気持ちと逆の言葉を言ったりします。

好かれない人は、言葉を言葉として、言葉通り受け取ります。

好かれる人は、言葉の裏に隠れた気持ちを受け取ります。

「私は大丈夫」と言われて、「大丈夫ですか。じゃ、よかった」と思うのは、好かれない人です。

大丈夫な時に「大丈夫」とは言わないものです。

「今日はもう寝るから、電話はいらないよ」と言われて、「いらないんだ」と安心する男はモテません。

相手はわざわざ言っているのです。

「忙しいだろうから、連絡しなくていいよ」と言われて、本当に連絡しないと、あとで文句を言われます。

ここで「連絡しなくていいと言ったじゃない。何それ？ ひっかけ問題？」と怒ってはいけません。

言葉の裏側にある気持ちまでくみ取るのです。

たとえば、ホテルのコンシェルジュが旅行者に六本木駅への行き方を聞かれました。

いくら流暢（りゅうちょう）に、理路整然と、過不足なく、一番わかりやすく、一番早いコースを説明したとしても、アウトです。

どこへ行くのかを聞いていないからです。

旅行者は何もわかっていません。

「そこへ行くのなら、ちょっと歩きますけど、麻布十番から行ったほうが１本で行けるから早いです」と言えるかどうかです。

「六本木駅」というオーダーを聞いているのではありません。

好かれる人は、六本木駅の先のどこへ行くかまで聞き取ってアドバイスします。

言葉が流暢かどうかは関係ありません。

「言葉だけ受取る」ということが一番危ないのです。

好かれる人の話し方 01

言葉ではなく、気持ちを受け取ろう。

好かれる人の話し方 62 の方法

□ 14 肩の力を抜いて、話そう。
□ 15 予約ミスで、仲よくなろう。
□ 16 珍しいネタを話そう。
□ 17 「怒られるのを覚悟で言いますけど」と、言おう。
□ 18 相手にずうずうしく関心を持とう。
□ 19 隣のナマの声を聞こう。
□ 20 聞き手に「私に関係がある」と思わせる。
□ 21 ①メリット ②裏づけ ③商品説明の順に話そう。
□ 22 質問より、自問自答しよう。
□ 23 パワーポイントのトラブルで、作業に集中して黙らない。
□ 24 下ネタにのらない。
□ 25 ほかの人が話している時、つまらなそうな顔をしない。
□ 26 相手が話している時、別の動作をしない。

好かれる人の話し方62の方法

- □ 27 きちんと進めることより、乗っていこう。
- □ 28 聞き手が黙ったら、自分も黙り、事例を伝えよう。
- □ 29 弱点と、リカバリーをセットで話そう。
- □ 30 悲惨な話を、聞こう。
- □ 31 相手から同じ話が出たら、チャンスと考えよう。
- □ 32 リモートの画面を、水平になるようにセットしよう。
- □ 33 表情を、200%で表現しよう。
- □ 34 会話の輪に入るには、一番近い人に話そう。
- □ 35 誰も知らなければ、スタッフに話しかけよう。
- □ 36 現場の人と話そう。
- □ 37 そこで働いている人と話をしよう。
- □ 38 小さい声でさりげなく話し始めよう。
- □ 39 声にならない声を聞こう。

好かれる人の話し方 62 の方法

□ 53 間では、息継ぎをしない。
□ 54 最初と最後だけは、噛まない。
□ 55 見えないもので、コミュニケーションしよう。
□ 56 相手が想像しているものを、受取ろう。
□ 57 「魚料理ならありますが」ではなく、「魚料理をご用意させていただいております」と言おう。
□ 58 いい質問をした人の名前を聞こう。
□ 59 何かしながら、話そう。
□ 60 論理と感覚のどちらも味わおう。
□ 61 感性こそ、ロジックで伝えよう。
□ 62 話芸の達人に、学ぼう。

好かれる人は話し方が9割

もくじ

第1章
立場・価値観が違う相手と、感じよく会話する。

第2章

「相手」が関心のある話題を、話す。

第3章

「相手」の表情から、気持ちをくみ取る。

第4章

会話の最初と最後に「メリハリ」をつける。

第5章 感性こそ、ロジックで伝える。

第1章

立場・価値観が違う相手と、感じよく会話する。

02

価値観が同じ会話ばかりしていると、価値観が違う対話ができなくなる。

情報化社会というのは、価値観の同じ人間とばかり話せると同時に、話してしまう社会です。

これにはメリットとデメリットがあります。

情報化社会でない時代は、身のまわりで価値観の合う人を探せませんでした。ところが、情報化社会なら、インターネットで「この話に興味がある人」と呼びかけると、世界中から集められます。

この環境に慣れると、隣にいる価値観が違う人とはやりとりができなくなります。

情報化社会は、価値観の違う人との会話がより苦手になる社会です。

これがデメリットです。

情報化社会は、より多くの人と簡単にコミュニケーションができるというメリットばかりではないのです。

「会話」と「対話」は違います。

「友達同士なら話せるんですけど、知らない人との会話が苦手で」という言い方は間違っています。

「会話」は、同じ価値観の人同士が話をすることです。

「対話」は、違う価値観の人と話すことです。

相手を知っているか知らないかではありません。

「上司のことは知っているけど、話が合わない」と言う人がいます。

話が合わないのではなく、価値観が違うのです。

「話が通じない」というのも間違いです。

価値観が違うだけです。

お互いに「あの人はこういう価値観があって、自分はこういう価値観がある」と認識して、違う価値観をすり合わせることがコミュニケーションです。

対話ができる人が好かれる人です。

価値観が合う人だけと話して、「あの人は話が合わないからつき合わない」となると、人生のチャンスを失います。

学生時代の仲よし3人組から永遠に抜け出せません。

幼い子どもの世界の広さは親までです。

親と子どもでは、価値観のズレはそれほど大きくありません。

ところが、町に一歩出ると、隣の人は違う価値観を持っています。

違う価値観の人がいるのが、多様性の面白さです。

情報化社会で価値観が同じ人とだけ話していると、イライラしません。

だからといって、面白いということではないのです。
違う考えが入ってこないからです。
海へ釣りに行った時に、ヘンなモノが釣れるというのが釣りの面白さです。
同じ魚しか入れていない釣堀で同じモノが釣れるのは、楽しいことではありません。
海では釣れない日も楽しいのです。
「釣れないと面白くない」と言う人は、釣堀に行きます。
グローバルな釣堀ができている状態が情報化社会です。
釣堀が好きな人は、知らない人とのコミュニケーションが苦手なのです。

好かれる人の話し方　02

会話より、対話をしよう。

03

話が合わないのではない。相手の価値観がわからないだけだ。

部下の側から「上司と話が通じないんです。なんでわかってくれないんだろう」と言う人がいます。

「わかってくれ、わかってくれ」と言っても始まりません。

「上司はこういう価値観だな」と知ることが大切です。

相手の価値観がわかってしまえば、話はしやすいのです。

たとえば、お客様に何か商品を買っていただいたり、得意先へのプレゼンを通したい時は、まず相手の価値観を知ることです。

オプションのサービスを求めているお客様に「お安いです」と言えば言うほど、「値段のことを言っているお客様として扱われた」とガッカリされます。

相手が値段に価値軸を置く人なら、値段を下げる交渉はできます。

常連さんに割引券を渡すのは、失礼になりかねません。

常連さんには「これ、裏メニューなんですけど」と出すほうがいいのです。

初めてのお客様は、割引のほうがいいです。

安くしてもらったほうが「得したな」と思えます。

「どうせ割引がいいんでしょう」と決めつけるのは、割引を求めていない常連のお客様には失礼な行為なのです。

好かれる人の話し方　03

相手の価値観を聞き出そう。

04
反論はいい。「黙れ」は、よくない。

人間が話をするのは、違う意見や考えを持つ人間同士が「お互いに考え方が違うんだな」とわかり合い、歩み寄るためです。

そのために言語が生まれたのです。

「あなたはこう思っている。私はこう思っている。違うんだ、面白いね。お互いに歩み寄れるところは何かないでしょうか」と考えるのは、恋愛でもセールスでもみんな同じです。

この時、最初は意見が合わないのが前提です。

同じ価値観の者同士で集まれるのが情報化社会なのです。

ふだん同じ価値観の人とだけしか会っていないと、違う価値観の人に会った時に話せなくなります。

「あれ、自分が話していることはみんなわかってくれるはずだったのに、世の中には違う人もいるんだ」と気づきます。


たとえば、サッカーが好きな人がいます。

その人がサッカーの話をふった時に「すみません、サッカーを見てないんで」と言われると、「ありえない」と思います。

そうすると、サッカーを知らない人との会話ができなくなります。

ふだん自分がSNSでサッカーのファンとコミュニケーションをとっているので、当然通じ合えるものだと思い込んでいるからです。

世界のすべての人がサッカーに関心があると思っています。

趣味がマニアックであればあるほど、みんなの好きなものは違います。

前提条件の説明なしに、自分の好きなものの話が通じることはありえません。
「いや、サッカーってあんなに盛り上がっているじゃないですか」と言う人がいます。
どんなに盛り上がっても、全体ではないというのが、多様化した現代社会です。
「違うのが当たり前」というのが、話をする時の大前提です。
その上で、興味のない人を自分の好きなものの世界に近づけることが大切なのです。

相手が違う意見を持っている時に、反論するのはいいのです。
好かれない人は、反論しないで、「こんなことも知らないのか」とバカにします。
反論するのとバカにするのとは違います。
好かれない人は、「反論してはいけない」と思っているのです。
反論も、相手と近づくコミュニケーションの1つです。

ところが、礼儀を取り違えて、反論は失礼だと思う人は、「こんなことも知らないんだ」とバカにして話をしなくなります。

ここでコミュニケーションがゲームオーバーになってしまうのです。

「そんなこと常識だよ」「ありえない」「意味不明」と言うのは、反論ではありません。

それよりも反論することで、コミュニケーションが生まれるのです。

好かれる人の話し方　04

「常識だよ」と言わない。

05

「違う」と言われると、相手は話したくなくなる。

質問の答えに対して「違う」と言うのと同じで、反論する時に「違う」「間違っている」と言うと、相手は話す気がなくなります。

「間違っている」という言い方は、自分が正しいことを前提にしています。

世の中に正解はありません。

裏を返せば、すべての答えが正解であり、間違っているのです。

話す時は、「自分の言っていることは自分なりに正しいし、相手が言っていることも相手なりに正しい」という前提に立つことです。

相手の意見が自分と正反対の時は、「僕はこんな見方をしているんですよ」と言えばいいのです。

たとえば、「これ、絶対売れると思う」という商品のアイデアを誰かが出しました。

ところが、別の人は「いや、それは前もやってうまくいかなかったからダメだと思う」と言いました。

そこで「いや、そんなことはない」と言うと、水かけ論になります。

その時に、「いや、あなたが間違っているのではなくて、こういう見方もあると思うんですよ」と言えるかどうかです。

人間に対してではなく、それぞれの見方に対してコメントすればいいのです。

英語なら、「アイ・ハブ・アナザー・オピニオン（別の意見を持っています）」です。

これは、「あなたを攻撃しているわけではない」という意味を込めています。

「違う」と言われると、自分が攻撃されたと思うのです。

コミュニケーションは、誰かを攻撃することでも、自分が攻撃されることでもありません。

違う考えを持った人同士でいろいろな意見を出し合うことが大切なのです。

人が巻き込まれるのは、化学反応が起きる時です。

化学反応とは、AとBを混ぜ合わせて、Cが生まれることです。

一見混じり合っても、化学反応が起きていなければ、分離します。

同じ意見ばかりでも、化学反応はおきません。

違う意見を混ぜ合わせて、今まで思いもよらなかったアイデアが浮かぶ時に、聞き手は巻き込まれるのです。

好かれる人の話し方 05

「間違っている」より、「こんな見方もある」と言おう。

06
「違う」より「惜しい」と言う。

授業では、生徒を指名して答えさせます。
その時の先生の話し方で、好かれる人と好かれない人に分かれます。
生徒が間違った答えをした時、好かれない人は「違う」と言います。
好かれる人は、「惜しい」と言います。
「違う」と言われると、もう答えようがなくなります。
「惜しい」と言われると、また答えたくなります。
まったく惜しくなくても「惜しい」と言います。
答えようとしている時点で惜しいからです。

「ハズレ」は「惜しい」なのです。

子どもが母親に「どう思う?」と聞かれて、とんちんかんな答えを言った時も、「違う」と言われると、もう答える気がしなくなります。


「違う」という言葉は、相手の話そうという気持ちを叩きつぶすのです。


高校時代に国語を教わった安藤浩先生は、優しい人でした。

授業で「1番、2番、3番。中谷君はどのように思われますか」と丁寧語で3択問題を出されました。

私が「1番」と答えると、「惜しい」と言われました。

そこで「じゃ、2番」と答えると、「でないとすると?」と言われました。

ラジオでよくある優しいクイズのようです。

「3番」と答えると、「大正解。なぜお気づきになられましたか」と言われました。

極端な例ですが、それぐらい優しい先生だったのです。

「違う」という言葉が口グセになると、抜けなくなります。

「違う」を表現したい時は、別の言葉で「惜しい」というボキャブラリーを持てばいいのです。

言葉は、ある言葉を一旦使い始めると、その言葉ばかり使うようになります。

スマホの漢字変換で、使用頻度の高い言葉から順に候補が挙がるのと同じです。

変換予測で先に挙がってくると、ますますその言葉ばかり出るようになります。

それをいい言葉に変えておくことです。

「違う」は「惜しい」にすると、あとの展開が大きく変わります。

「もっと話したい」と思うか、「もう話したくない」と思うかの分かれ目になるのです。

たとえば、アイデアをみんなで出し合っていました。

「こういうアイデアはどうでしょうか」と言うと、リーダーに「ほかに」と言われました。

それでは、ほかに何人かいても言い出しにくい雰囲気になります。

「『アイデアをもっと出せ』と言っても、なんでみんなからアイデアが出ないんでしょう」と相談されると、私は「誰かが言ったアイデアに、『ほかに』と言っていませんか」と聞きます。

「ほかに」にかわる言葉があるのです。

以前、私の上司だった人はのせ方がうまくて、**「なんかその辺にあるような気がするんだよね」と言っていました。**

これは「惜しい」という意味です。


むずかしすぎるクイズは、「皆目ムリ」「これ、初めから正解する気がしない」と答える気がなくなります。

ところが、穴埋め問題は埋めたくなるのです。

簡単すぎても、むずかしすぎても答えたくないのです。
人間が一番答えたくなる問題は、６割の正解率になるものです。
正解率６割の穴埋め問題が、もっと解きたいと思う「惜しい」なのです。

好かれる人の話し方　06

「ほかに」より
「そのあたりに、ありそうな気がする」と言おう。

07 「なるほど、面白い」は、心をつなげる接続詞だ。

会話の中の接続詞で、その会話が楽しいかどうかが決まります。
逆接の接続詞を入れると、会話は楽しくなくなります。
好かれない人は逆接の接続詞が大好きです。
逆接でないところにも逆接を入れたがります。
負けたくないからです。
逆接で返されると、相手は自分の意見が否定されたように感じます。
否定されてうれしい人はいません。
反論はいいですが、否定はしないほうがいいのです。

相手と一体感を持って寄り添うためには、順接の接続詞を使います。

営業で商品を売る場合に、相手から「でも、故障しやすいんじゃないですか」と言われ、「いや、そんなことありません」と返すのは否定です。

「ご存じないかもしれませんが」と言うのは、相手をバカにしたことになります。

そういう時は「だからこそ、即、カスタマーセンターへ連絡していただければ、即日で修理いたします」と言えばいいのです。

「だからこそ」で、逆接をすべて吸収できるのです。

「なるほど、面白い」も、相手を肯定する言葉です。

「でも、高くないですか」と言われたら、「なるほど高いです」「たしかに高いです」と言うことで、相手を肯定します。

このあとどんな展開になろうと、ここで満足感が出るのです。

接続詞は相手と向き合うスタンスを決める言葉になります。

池上彰さんは会話に接続詞を使いません。

相手の反論に、「いいところに気がつきましたね。さあ、そこなんですよ」と言います。

「そこなんですよ」は、逆接でも使えるフレーズです。

「そこなんですよ」と言われると、ほめられた感があります。

答えはどうでもいいのです。

「今、自分はこの会話の中でクリーンヒットを打った」「自分がいたから、この会話はいいほうに展開していった」と言われれば、会話の中での自分の存在感と貢献度を味わえます。

「そこなんですよ」というひと言で、救われるのです。

好かれる人の話し方　07

逆接の接続詞より、「なるほど」と言おう。

08

相手がふってきた話題を、けなさない。

たとえば、「この間、映画の○○見てきたんですよ」と言われました。

その時に、「僕も見ました。あれ、面白いですか？」と言うのは危ないです。

相手は「面白かった」という話を展開しようとしていた可能性があるからです。

得意先の社長に対して「あれ、面白いですか？」と先に言ってしまうと、出入禁止になる危険性があります。

社長が「面白くなかった」と言うことに対して、「いや、僕はこういうところが面白かったと思います」と言うなら、まだいいのです。

「そう言われるとそうだな」

という展開になることがあるからです。

相手が面白いと思っているものに対して、自分が「面白くない」と言うのは一番リスクがあります。

ファースト・リアクションで否定的な意見を言うのはリスクを伴います。

男同士が2人で話している間はまだいいのです。

そこにかわいい女性がいると、男同士で会話の競争が始まります。

「自分はもっと面白いものを知っているし、『面白くない』と言ったほうがカッコいい」というのは、間違った思い込みです。

「この間、お寿司屋さんの○○へ行ったら」とAさんが話を出した時に、「ああ、あそこおいしいですよね」と自分が言うのは負けだと考えているのです。

そういう人は、「あそこもどうなんですかね」と言って勝とうとします。

女性からすると、勝っているどころか、「ただの器の小さい人」と映ります。

「もっとおいしいお店を知っている」といくら言っても、食通とは感じません。

それよりは、「あそこのお味噌汁、絶品ですよね」という話をしたほうが、女性は「この人は食通だな」と思います。

話し手が「あのお寿司屋さんはダメだ」と言っても、「いや、僕はあそこのしじみ汁が妙に飲みたくなる時があるんですよ」という話をして持ち上げることです。

ほめている人のほうが、聞いている側からの印象はよくなります。

全体の議論でダメという話題をふられたら、いいところをポンと1つ挙げます。

その場の雰囲気をよくしたほうが、女性にはモテるのです。

好かれる人の話し方　08

「あれ、面白いですか？」と言わない。

09

「興味ない」では、話は終わる。

たとえば、「歌舞伎とか興味ありますか」と話をふられました。

この時、正直な人は「全然興味ないわけじゃないです」と、あいまいな答えをします。

相手が「興味ありますか」とふってきた話が、ドンピシャに自分に興味のあることというのは、雷に当たるぐらい確率的に小さいのです。

それでも、会話として大切なのは、「興味あります」と答えることです。

答えのセリフは「興味あります」と決めておきます。

そうすると、相手が話をうまく主導してくれます。

正直に「いやあ、それほど」と言うと、相手としてはあとの展開がしにくくなります。

「興味がないことはないですよ」と言ったあとは、そのネタはカットされます。

「興味がある」と言えば、面白い話が聞ける可能性があります。

面白い話のできた人はゴキゲンになります。

自分は聞いていただけなのに「あなたと話して楽しかった」と言われます。

自分の話を興味を持って聞いてくれたり、相手が興味ある話題だと思ってくれることがうれしいのです。「興味ありますか」と質問された時は、何も考えずに「興味あります」と言うことで巻き込めるのです。

好かれる人の話し方　09

「興味ありますか」には、「興味あります」と言おう。

10

謙遜（けんそん）のつもりが、失礼になることもある。

「中谷さんは、歌舞伎なんかごらんになりますか」と聞く人がいます。

「歌舞伎なんか」という言い方は、歌舞伎をバカにしたような感じがします。

話し手は、謙遜のつもりで相手の人間を上に持っていき、自分のふった話題を下に持っていこうとして言ったのです。

ところが、歌舞伎が大好きでリスペクトしている人は、「『歌舞伎なんか』と言っているこいつはなんて失礼なヤツだ」と思います。

私に「歌舞伎なんかごらんになりますか」とふった人に対しては、「あれ、僕が演劇科だったのを知らないいんだな」と思います。

それを避けるためには「○○なんか」という言葉を使わないことです。

「歌舞伎なんか」と言われると、「歌舞伎はよく見てるよ」と言いにくくなります。

その瞬間、聞き手の中で、話し手に対しての好感度が下がります。

「歌舞伎を否定した」イコール「歌舞伎が好きな自分を否定された」と感じるからです。

「この人は歌舞伎をバカにしている」という印象が残るのです。

「○○なんか」という言葉を使う謙遜は、リスクを伴うのです。

好かれる人の話し方　10

「○○なんか、ごらんになりますか」で、嫌われる。

11

遠慮しない、譲らない。

「話し方は礼儀正しくしたほうがいいんですか。馴れ馴れしくしたほうがいいんですか」と聞く人がいます。

この答えは「礼儀正しく、ずうずうしく」です。

私は先日、アイドルの番組で、アイドルはどうすれば売れるようになるかという話をしました。

ＴＶを見ている人は、出演者があまり礼儀正しくしていると、よそよそしく感じて楽しくありません。

実際は、芸能界は先輩・後輩の関係が厳しい世界です。

ＴＶの中で先輩・後輩感が強く出てしまうと、見ているほうも窮屈になって、楽しめません。

かといって、大先輩に失礼な発言はしにくいです。

ＴＶ的には面白いですが、あとあと困ります。

たとえば、ヒロミさんはタモリさんを「オヤジ」と呼びます。

これは馴れ馴れしいですが、見ている側としては笑えます。

上下関係があるより、安心して見られるからです。

礼儀正しく、ずうずうしくするためには、タイミングが重要です。

礼儀正しくするのは、ＴＶの始まる前と終わったあとです。

番組中はずうずうしく、馴れ馴れしくします。

全部礼儀正しくすると冷たいし、全部馴れ馴れしくすると、ただの失礼な人になります。

最初と最後だけ礼儀正しくしておいて、途中はズバズバ言ったほうがいいのです。


経営者向けの講演をする時は、私より年長の人が大勢います。

私は20代から講演をしています。

自分の親ぐらいの年齢の経営者に厳しい話をすると、失礼なヤツと思われます。

そうならないために、最初に礼儀正しくして、一番最後は「偉そうなことを言って失礼しました」と言って締めます。

途中でズバズバ言っても、最初と最後との落差があると、「礼儀正しいヤツだな」と感じるのです。


逆のパターンは成り立ちません。

冒頭はずうずうしく、真ん中は礼儀正しく、最後はずうずうしいとなると、「失礼な人」という印象が残ってしまうのです。

ＴＶに出てくる辛口の人のマネをして、ズバズバ言ってしくじるパターンがよくあります。

礼儀正しくしている最初と最後の部分というのは、ＴＶには映りません。最初と最後の礼儀正しさがなく、会議でマッコ・デラックスさんの辛口をマネしてしまうと、どこか遠い支店に「栄転」することになるのです。

好かれる人の話し方　11

礼儀正しく、ずうずうしく話そう。

12 笑顔のある人が、聞いてもらえる。

人は、怒っている人より笑顔の人の話を聞きます。

怒っている人よりもっと聞きたくない表情は、無表情です。

同じ聞くなら、怒っている人よりは笑顔の人の話を聞きたいです。

たとえば、お医者さんは患者さんに「こういう病気です」と言わなければならないつらい仕事です。その時も、あまり同情的な、申しわけないという顔をされると、患者さんは「よっぽど悪いのかな」と思います。

明るく「初期の症状です」と言われると、「これは治しようがあるから、先生は笑っているんだな」とホッとします。

特にお医者さんのような仕事は笑っている必要があるのです。

サッカーの審判がイエローカードを出す時も同じです。

「今のはハンドだな。ごめんね。フェアでいこう」という感じで、明るくイエローカードを出します。

好かれる選手は、イエローカードを出されると「え、今のダメですか」と、とぼけます。

そこへキャプテンが走り込んできて、肩を叩きながら「今のダメですか。しようがないな」と言って笑います。

これで、そのあとにイエローが出にくくなるのです。

そこでムッとすると、レッドで退場になったり、どんどんイエローが出ます。

審判も、イエローカードを出された選手も笑っている必要があるのです。

いろいろな先生がいるビジネススクールの中で、私は一番厳しいと言われています。

大人の生徒が泣いてしまうほどです。
録画を見ると、私は怒っている時ほど笑っています。
それがよけい怖いと言われるのです。
それでもみんなが聞くのは、怒っている時ほど笑顔を入れるからです。
真剣な顔で怒りながらも、間に笑顔を入れたり、最後にニッコリすることが大切です。

怒った表情は比較的入れやすいです。
入れにくいのは笑顔です。
よほど余裕を持って話し方をコントロールできないと、笑顔にはなれません。
習慣化することで、笑顔は出せるようになります。
「今、自分は厳しいことを言っているな」と意識した時ほど笑顔で言うのです。
松岡修造さんは、自分も泣きながら真剣に話しますが、厳しいことを言った後はニッコリ微笑むのです。

3%ニッコリ微笑むだけで、言われている側は「愛情を持って自分のために厳しいことを言ってくれているんだな」と救われます。

つらいのは、無表情で叱られることです。

そうすると、「切り捨てられた」と感じます。

話していて相手が一番ガッカリするのは、「自分は切り捨てられている気がする」と感じた時です。

それなら、反論してもらったほうがまだいいです。

なんの反論もなく「へえ」と流されるのは、一番つらいのです。

好かれる人の話し方　12

間に、笑顔を入れよう。

13 明るい声でかけた電話予約は、とれる。

予約がとれるかどうかは、電話での話し方で決まります。

レストランに予約の電話をかけることも、コミュニケーションの1つです。

席がすでに埋まっているから予約がとれないとは限りません。

たとえば、「週末のこの時間は予約がいっぱいだろうな」と思いながら、恐る恐る予約の電話をかけました。

「あのう……」と暗くかけた電話では、予約はとれません。

初めから「どうせダメですよね」と、ふてくされたトーンになっているからです。

予約をとるコツは、最初から明るく話すことです。

予約を受ける側は、電話をかけるお客様よりドキドキしているのです。

どんな人がかけてくるかわからないからです。

お客様は、予約を受ける側よりは相手のことを予測できます。

電話を受ける側は「クレームの電話がかかってくるかもしれない」とビクビクした状態にあるので、最初に安心させることが重要です。

安心させるコツは、明るいトーンで話すことです。

「あのう……」と暗く話し始めると、相手は「クレームかもしれない」と逃げ腰になります。

「今日は、もうムリでしょうか」と暗いトーンで聞かれると、「すみません、いっぱいなんです」とお客様のトーンに合ってしまいます。

明るいトーンで「今からなんですけど、空いてたりしませんか」と言われると、「いっぱいなんですけど、ちょっと待ってください」と探そうとしてくれます。

電話を受けた側が「こういう明るい人なら安心」と思うからです。

特に電話は声だけで判断されます。

同じ状況でも、「8時から予約が入っているんですけど、それまでだったら」と調整をしてくれるか、「もういっぱいです」と言われるかは、コミュニケーション次第で大きく分かれるのです。

予約を受けようとしてくれるかどうかは、お客様の声のトーンだけで決まります。

ところが、**自分では明るめに言っているつもりでも、暗いトーンで話しているということに気づかない人がいるのです。**

地声が低くても、明るいトーンの声は出せます。

問題は、声が高いか低いかではなく、明るいか暗いかです。

「もっと明るいトーンで言ってごらん」と言うと、「いや、これで目いっぱい明るいです」と言う塾生がいました。

声のトーンには、

①　高い
②　中ぐらい
③　低い
の３段階があります。
ほとんどの人は、高いトーンの声がありません。
声のトーンが高いだけで明るさを感じるから大切なのです。
だんだん声のトーンが下がるのです。
それは肺活量が落ちるからです。
予約をする時は、明るい声で話すとうまくいくのです。

好かれる人の話し方　13

予約の電話を、明るい声でかけよう。

14
リラックスしていると滑舌がよくなる。

「私、滑舌が悪いんです。滑舌教室に行ったほうがいいですか」と聞く人がいます。
早口言葉をいくら言っても、滑舌はよくなりません。
滑舌が悪いのは、肺活量が少ないからです。
体が固まってしまうと、肺活量が通常より大きく低下します。
肺活量が十分にあれば、普通に口を動かすだけで伝わるのです。
滑舌のいい人は、口がよく動くのではなく肺活量が多いのです。
肺活量が多くなるのは、筋肉がリラックスしている状態だからです。
緊張している声は通らないのです。

レストランに行っても、注文が通る人と通らない人がいます。
話していると、「え？」と聞き返されることが多い人がいます。
「私、滑舌が悪いから通じないんです」と思い込んでいる人がよくいます。
声が通るかどうかは、肺活量の問題が大きいのです。
体がかたい人、緊張する人は滑舌が悪くなり、話が苦手になります。
通じないと緊張するので、ますます体がかたくなります。
体がかたい状態でいくら早口言葉を言っても、滑舌はよくなりません。
大切なのは、十分な肺活量で通じる話し方をすることなのです。

好かれる人の話し方　14

肩の力を抜いて、話そう。

15

予約が間違っていた時は、「すいません。私が、言い間違えました」。

たとえば、予約の時間間違いのトラブルがありました。
この時、好かれる人と好かれない人とで対応が分かれるのです。
「19時」で予約すると、9時になってしまうことがあります。
これは、どちらのせいでもありません。
好かれない人は「19時って言いましたよね」と言います。
「私は間違っていない」という姿勢です。
お店は満席で入れません。
お店の予約ノートには「9時」と書いてあるからです。

その時、好かれる人は「あ、ごめんなさい。僕が言い間違えました」と言います。

そう言うと、お店の人もなんとか席を探そうとしてくれます。

「19時って言いましたよね。あなたじゃわからないから、上の人とかわって」

と言って騒ぎになると、どちらが正しいか、誰に責任があるかという話になって、席をとろうとするエネルギーがなくなります。

予約ミスがあった時は「僕が間違えた。ごめんね」とひくだけで、席がとれるのです。

そういう感じのいいお客様のために、お店の人は席を探そうとしてくれます。

大切なのは、誰が間違っていたかではありません。


デートで女性とレストランに行くと、よけいに「僕は間違ってない」という気持ちになります。

「とりあえず謝ってほしい。責任はどうしてくれる？」と言うのは、彼女の手前、自分がダンドリの悪い男ではないことを証明してほしいからです。

一緒にいる女性は、男性がそうやって粘れば粘るほど、みっともないからやめてほしいと思います。

彼女の前で、ダンドリの悪さを見せるようなことだけはしたくないという男性の気持ちもわかります。

本当は、そこで「すみません、僕が言い間違えた」と言い切って解決するほうがカッコいいのです。

席がとれることが一番大切な時に、誰に責任があるか追及したり、勝ち負けの議論をするのはコミュニケーションで損をしている人なのです。

好かれる人の話し方 15

予約ミスで、仲よくなろう。

16 面白いは、ファニーではなく、インタレスティングだ。

「面白い話をするためには、ギャグを言ったり、オチのある話をしなければいけない」というのは、間違った思い込みです。

面白い話は、「興味を惹く話」です。

ファニーではなく、インタレスティングな話です。

「あの人の話を聞きたいな」と思われるのは、笑い話をたくさん仕入れた人より、「どこでそんな話を仕入れてくるんですか」と言いたくなるような人です。

聞き手は、聞いたことがない珍しい話を求めているのです。

「自分は話が面白くないと言われるので、ジョーク集を覚えたほうがいいんでしょうか」というのは目指す方向を間違えています。

「面白い」という言葉の解釈が間違っているのです。

面白いだけでは、中身のない話になります。

オチをつけると、そのあとの展開がありません。

興味のある話は、「それでそれで……」と無限に聞いてもらえるようになります。

マニアックな話はみんな持っています。

「こんなのみんなは興味あるかな」と思うようなマニアックなことのほうが、聞き手に興味を持たれるネタになるのです。

好かれる人の話し方　16

珍しいネタを話そう。

第2章

「相手」が関心のある話題を、話す。

17 「今日は、ぶちまけておきます」と言うことで、許される。

話し方を勉強するためには、「話のうまい人は何がうまいのか」というところを見ます。

「あの人は話がうまい。あの人みたいになりたい」と言いながら、具体的にその人のどこがうまいのか、気づいていないことが多いのです。

たとえば、カリスマ予備校講師の林修先生の絶妙なところは、「今でしょ」という言葉の選び方だけではありません。

林先生は、人と話す時の言葉づかいが圧倒的にうまいのです。

本来は、多数の生徒に授業をする先生です。

林先生がこれまでいろいろな生徒にナマで授業をしてきたこと、本を読み、勉強し、体験を積み重ねてきたことが、言葉づかいから感じられるのです。

話をする時に大切なのは、ホンネもぶちまけることです。

ただし、ホンネをぶちまけると、相手を怒らせてしまう可能性があります。

仕事では、時には上司に反論しなければならないことがあります。

お客様に対しても、「ノー」と言わなければならないことがあります。

この時に「もし嫌われたらどうしよう」と思ってガマンしていると、話にならないわけです。

ホンネを言う時に林先生が使っているフレーズがうまいのです。

たとえば、「怒られるのを覚悟で言いますけど」と最初に言うのです。

このフレーズが最初に来ることで、何を言っても許されるわけです。

そのほかには、

「これを言うと、ますます『ハア？』と言われると思いますけど」

「今日はもう、ぶちまけておきます」

「今日は失うものが多いな」

というセリフを最初に挟みます。

これは確信犯のフレーズです。

これを言うことによって、相手にホンネをボンボンぶつけていけます。

ホンネを言うべきか、言わざるべきかではありません。

「今日はぶちまけておきます」「怒られるのを覚悟で言いますけど」と言ったあとでホンネを言うと、相手は怒れません。


一番困るのは、ホンネを言わずにガマンして、あとでそれをブチブチ言われたり、ネットで書かれることです。

話の最後に「とは言うものですね……」と言うのは、一番ヘタな話し方です。

「怒られるのを覚悟で言いますけど」というフレーズを、まず覚えればいいのです。

上手なフレーズの使い方を学ぶためには、**「あの人はどういうフレーズを使っているのか」と、上手な人の上手なところを聞き取る力が必要です。**

それがないと「今でしょ」しか聞き取れないのです。

そこばかり聞いていても、好かれる人の巻き込む話し方は身につかないのです。

好かれる人の話し方　17

「怒られるのを覚悟で言いますけど」と、言おう。

18

「どこ行くの、何しに行くの」と相手に関心を持つことが会話の基本だ。

話は、お互いがより近づくためにするものです。

「この人と話したい」と思うのは、「この人ともっと近づきたい」という気持ちがベースにあるからです。

関西人は、相手のパーソナルスペースにずうずうしく入って話します。相手との距離感が近いのです。

たとえば、道で知り合いと会いました。

好かれない人は、

「お出かけですか」

「ちょっとそこまで」

「じゃ、また」

で終わります。


好かれる人は、「お出かけですか。どちらへ」と聞きます。


これは踏み込んだ会話で、個人情報にかかわります。

「どちらへ」と聞くのはよくないと思っている人は、「相手に踏み込んじゃいけない」という遠慮があるからです。


裏を返すと、相手に関心がないということです。

「どちらへ」と聞かれて「ええ、ちょっと」とごまかす人も、「踏み込まないでほしい」という気持ちがあるのです。


好かれる人は、「どちらへ」と聞かれると、「なんでそんなことを聞くんだ」とは考えずに、「ちょっと京都へ」と答えます。

ここで、「あ、いいですね。それじゃ、また」と別れる人は好かれない人です。**好かれる人は、「何しに」と聞きます。**

これを言われた時に、個人情報だから「ええ、ちょっと」とごまかす人は、好かれない人どまりです。

好かれる人と好かれない人の差は、このたった2つのフレーズです。

関西人は、買い物でも駅でも、どこで会っても「どこ行くん？」「何しに？」というフレーズを使います。

同じテーマを共有しよう、まじりたいという気持ちを持つことが、話し方の基本です。

常に「あなたに私は関心がありますよ」という話し方をするのが関西人です。

東京の人は、「あなたの個人情報には触れません」とひいたり、誰かから関心を持たれた時に「それほど親しくないあなたになんで話さなきゃいけないの？」

と切り捨てたりします。
「踏み込んで話さないでね」と、相手を向こうへ追いやろうとする空気があるのです。
これが、関西人は話がうまくて、東京の人は話がヘタということになるのです。

好かれる人の話し方　18

相手にずうずうしく関心を持とう。

19

書かれている情報より、ナマの人からの情報を信じる。

たとえば、大阪でレストランに入りました。
何を頼もうかなと思いながら、隣の人が食べているものを見ました。
東京で同じことをすると、「見ないでね」という感じで肩で隠されます。
東京の人は、隣の人の食べているモノは見ません。
隣の人が何を食べているか気になる時は、横目でチラッと見ます。
関西人は、メニューを決める時に隣の人をのぞき込みます。
食べている隣の人を見て、おいしいかを頭の中でシミュレーションするのです。
のぞき込まれた関西人は、話す気満々で向き直ります。

「おいしい？」と聞かれると、おいしい時は「これ、いけますよ」、おいしくない時は「ダメダメ」と、ちゃんと正直に答えます。

書かれている情報よりも、ナマの話のほうを信じるのが関西人です。

現代の情報化社会では、メニューのように書かれている情報はたくさんあります。

メニューには「当店イチ押し」という情報も書いてあります。

メニューにあるその言葉より、食通かどうかわからなくても今食べている人のナマのコメントを信じることが大切なのです。

好かれる人の話し方　19

隣のナマの声を聞こう。

20

聞き手は、自分に関係がある話を聞く。

デートでも営業でも、聞き手が一番関心のあることを話すことが大切です。

人は話を聞き始めると、まず冒頭で「この話は自分に関係があるかないか」を判断します。

自分に関係があると思えばそのまま聞き続けるし、関係がないと思えばそこで聞くのをやめます。

話し手は、当然話し手自身に関係のある話をします。

話し手に関係のある話が、必ずしも聞き手に関係があるとは限りません。

話し手はゴルフが好きでも、聞き手はゴルフが好きでなければ「自分には関係ない話」と判断します。

たとえば、サッカーが好きな人が、話し手からサッカーの話をふられました。

その場合、聞き手は別にサッカー選手ではなくても、サッカーには関心があるから聞き手にとって「自分に関係ある話」となります。

そう判断すると、「この話は聞こう」と思います。

話し手にとって大切なのは、同じテーマを話すにしても、聞き手に「この話は私に関係あるな」と思わせることなのです。

好かれる人の話し方　20

聞き手に「私に関係がある」と思わせる。

21

商品説明を、先にしない。

たとえば、営業でＮＡＳＡで採用されたシャンプーを売りたい時、好かれない人は、まず商品説明からします。

「この商品はどんなに素晴らしいかというと、画期的な商品でして、こういう機能がありまして、このお値段なんです」と話してしまうのです。

お客様には商品の説明は関係ありません。

お客様が一番欲しいのは、そこから得られるメリットです。

「このシャンプーはどういうふうにＮＡＳＡで採用されたか」という話も、お客様にはあまり関係ありません。

お客様はＮＡＳＡの人間ではないからです。

それよりは「このシャンプーは使ったらモテモテになるんですよ」と言うと、お客様は興味を持ちます。

「なぜかというと、髪の毛が赤ちゃんみたいにツヤツヤになるんですよ」と説明した時に初めて、「実はこの商品はＮＡＳＡで採用されていて、赤ちゃん用の商品を開発している会社でたまたまできた商品で」という流れになるわけです。

話し手が話したい順番で話すと伝わりません。

話す順番は、聞き手がメリットを感じるところから始めることが大切なのです。

好かれる人の話し方　21

①メリット　②裏づけ　③商品説明の順に話そう。

22 池上彰さんは、自問自答の達人だ。

好かれない人は、「なんだと思う？」という質問が好きです。

これはめんどくさいです。

オヤジになればなるほどこの質問が好きで、「考えてみて。考えてみて」と言います。

質問をしすぎるオヤジの話は飽きてしまいます。

池上彰さんは、一見質問しているように聞こえます。

ところが、池上彰さんは自問自答しているのです。

「さあ、困りました。どうしたらいいんでしょうか」というのは、自問自答です。

自問自答に関しては、テンポが生まれて聞き手も飽きません。

他者に向かってする質問はテンポが落ちるのです。


たとえば、何人かの前でスピーチする時でも、誰かを指名して質問すると、ほかの人たちがみんなうつむきます。

聞き手が話し手に対して距離をつくってしまうのです。

自問自答なら、聞き手は当てられる心配がありません。

ハムレットの「生きるべきか、死ぬべきか」は、自問自答です。

自問自答のセリフだから、「僕だったらどうするだろう」とみんなが感情移入するのです。

「生きるべきか、死ぬべきか。はい、あなた」と当てられると、怖くて舞台の近くに座れません。

質問が聞き手との距離を縮めるというのは、思い込みにすぎないのです。
林修先生の「今でしょ」は、その前の「いつやるか」の自問が人の心に刺さるのです。
だから世の中で受け入れられるのです。

好かれる人の話し方　22

質問より、自問自答しよう。

23 パワーポイントのトラブルの間も、話し続ける。

しっかり準備して、リハーサルではうまくいったのに、プレゼンの本番になるとパワーポイントが不具合で固まることがあります。

この時、あせって無言になる人がいます。

それでは、せっかくプレゼンの中身がよくても、結果はうまくいきません。

トラブルの時に大切なのは、パワーポイントを直している間も黙らないということです。

聞き手をハラハラさせないようにすることです。

話し続けながら、直せばいいのです。

話が続いていると、聞いている側は安心します。

無言で直すことに集中されると、聞き手は「大丈夫かな?」とハラハラして集中力がなくなります。

話し手も聞き手も、同じように集中力をキープする必要があります。

「話」は、スポーツと同じくらい集中力を求められることなのです。

集中力が欠けた瞬間に、話は共有できなくなります。

パワーポイントの調子が悪くなった時に、直すことに気持ちがいって、話がほったらかしになると、聞き手の集中力も途切れさせてしまいます。

その瞬間から別のことを考え始めたり、スマホでメールチェックを始める人が出てきます。

映画をずっと見続けられるのは、集中しているからです。

聞き手の集中力を途切れさせないために、話し手自身も集中力を途切れさせないようにすることが大切なのです。

好かれる人の話し方　23

パワーポイントのトラブルで、作業に集中して黙らない。

24 他の人の下ネタは、自分が流れを変える。

たとえば、女性がいる時に男性が下ネタをふりました。

下ネタをふられた女性は「イヤだな」と思っています。

この時に、それを横で聞いていた自分がどういう話し方をするかで、好かれる人か好かれない人かに分かれます。

下ネタをふるのは、チンピラが道で絡んでいるのと同じです。

好かれる人は、下ネタの一部分を拾いながら見事に話題を変えて、女性を助けます。

好かれない人は、その下ネタに一緒になってのります。

たとえば、好かれない人がラブホテルについて語りました。

好かれる人は「ホテルといえば、スイーツのビュッフェやってて」と話題を変えます。

これで下ネタから離れることができます。

好かれない人は、「もっとヘンなラブホテルがあるんですよ」と、負けじと下ネタを話します。

それでは、女性が絡まれている時に一緒になって絡むのと同じです。

下ネタの流れを変えてあげるのが好かれる人の話し方なのです。

好かれる人の話し方　24

下ネタにのらない。

25

話し手でも聞き手でもない時に、差がつく。

話には2通りの状況があります。

1つは、話し手と聞き手の2人で話す状況です。

もう1つ多いのが、3人という状況です。

3人の場合は、話し手と聞き手と、もう1人います。

その話し手でも聞き手でもない「もう1人」になった時が勝負の分かれ目です。

ここで、好かれない人は話し手になろうとします。

好かれる人は、聞き手になります。

3人いて、自分が話し手でも聞き手でもない時に、いい聞き手になれるのです。

3人の時にしてはいけないことは、

① 話し手に負けじと自分が話し手になろうとする

② 話し手にも聞き手にもならない

という2つです。

②は、「自分はのけ者にされている」と、つまらなそうにふてくされることです。

ここで、チャンスをつかめるかどうかが決まります。

自分が話し手でも聞き手でもない時に、関心を持って、もう一人の聞き手以上に素晴らしい聞き手になることが大切なのです。

好かれる人の話し方　25

ほかの人が話している時、つまらなそうな顔をしない。

26

メモすることよりも、話し手に集中しよう。

人の話を聞く時は、言葉ではなく、表情を聞きます。
言葉だけでは、本当に喜んでいるのか、本当にウケているのかはわかりません。
感情が一番正直に出るのは、表情です。
自分が聞き手にまわった時も、言葉ではなく、表情でリアクションします。
表情をつくるということではありません。
ちゃんと集中して聞いていたら、表情は自然に出てきます。
メモをとりながらでも、話を聞くことはできます。
時々、メモにばかり気持ちが行って、話を聞いていない人もいます。

「メモ９・耳１」ぐらいになっているのです。

レストランに予約の電話をした時に、「お名前は」と聞かれました。

「中谷彰宏です」と言うと、「な、か、た、に、あ、き、ひ、ろ」と、一生懸命メモをとっています。

その間に私が「19時に２名」と言っているのに、「ちょっと待ってください」と遮るのです。

完全にトランシーバー状態です。

取材に来る人にも、話しやすい人と話しにくい人がいます。

取材では、たいていボイスレコーダーをまわしています。

必死にメモをとる必要はありません。

要点だけメモをとればいいのです。

にもかかわらず、聞いていることをずっとメモしている人がいるのです。
ボイスレコーダーは話に集中するためにあるのです。
話に集中してもらえると、話し手は話しやすいのです。
まじめなタイプは、聞いたことをちゃんとメモにとろうとします。
最初は話を聞いていますが、だんだんメモが中心になっていきます。
話し手のほうも、メモをとるのを待つようになります。
「今、全部書きとれたかな」といちいち確認していては、話が弾まなくなります。
几帳面な人は、一言一句漏らさないように書きとめるのです。

取材中、何か思い出したのか、カバンの中で探し物を始めた人がいました。
「どうぞ続けてください」と言いますが、気になって集中できません。
話すのは、探し終わってからでいいのです。
本人としては、失礼がないように聞くために必要なモノを探し始めたのです。

聞き手が集中していないと、話し手は話しづらくなります。
ほかのことは犠牲にしてもいいから、まずは相手の話に集中することが大切なのです。

好かれる人の話し方　26

相手が話している時、別の動作をしない。

27

その場の一体感から、こぼれない。

女子アナは、人気の出る人といまひとつ人気の出ない人とに分かれます。

アナウンスがうまいのになぜか人気の出ない女子アナがいます。

ＴＶは、カメラの下にいるＡＤさんが進行をスケッチブックで指示します。

人気の出ない女子アナは、それをきちんと見て、番組をきちんと進めます。

出演者が話している時に、出演者を見ないで、たった1人進行のスケッチブックを見ているのです。

人気の出る女子アナは、ＡＤさんの指示をまったく見ていません。

話に集中して、みんなと一緒にびっくりしたり、笑ったりします。

一体感があるのです。

ＴＶは怖いのです。

一体感から漏れている人は、一発でバレます。

これはＴＶに限りません。

みんなと話す時は一体感が大切です。

一体感に乗り遅れる人は進行を気にする人です。

出演者の話を聞いているからといって、進行がめちゃくちゃになることはありません。

出演者はみんな話のプロです。

ワーッと盛り上がりながら、みんなＡＤさんの進行のスケッチブックを見て、話をふっています。

自動的にちゃんと時間内におさまるようにしているのです。

プロ同士でやっていることに身を委ねられる人のほうが人気が出ます。

シロウトの会話でも、まったく同じことが言えるのです。

取材に来る人は、質問を用意してきます。

せっかく話が盛り上がっているのに、事前に自分が準備した通りの順番で質問しようとすると、流れが途切れます。

好かれる人は、「その流れで言うと、これはいかがですか」と、あとのほうに用意していた質問を先に持ってきます。

これが、流れに乗っていくということです。

好かれる人の話し方 27

きちんと進めることより、乗っていこう。

第3章

「相手」の表情から、
気持ちをくみ取る。

28 聞き手が黙った時、まくしたてない。

セールスをすると、聞き手が考えて黙る瞬間があります。

この時に、好かれない人はあせります。

迷っている→なんとか押し込まなければと思って、「いや、絶対これはお買い得ですよ」とバーッとまくしたてます。

そうすると、相手はどんどんひきます。

ここで、好かれる人は相手と一緒に黙ります。

相手が考えているということは、五分五分の状態です。

もうひと押し必要でも、まくしたてるのはＮＧです。

「売り込まれている」という感覚は一番イヤだからです。

相手が黙った時は、自分も一緒に黙ればいいのです。


コミュニケーションは、押し倒すことではなく寄り添うことです。

まくしたてるのは、押し倒すことになります。

相手が考えている時は、「そうですよね」と自分も一緒に考えるのです。

これが寄り添うことです。


その時、相手は「ほかの人って、こういう時どうしているのかな」と考えます。

事例を求めているのです。

「この間お買上げになったお客様は、この商品をこんなふうに使っています」

といった事例です。

たとえば、車を買うかどうか迷っているお客様がいます。

車は高い買い物です。

その車の性能やお得さ、税制がどうなっていると、さんざんまくしたてる必要はありません。

「この間、面白いお客様がいらっしゃったんです。買っていただいたあと、時々お伺いしているんですけど、車のメーター自体は上がっていないんです」

「『あまり乗られていないんですか』と聞くと、『オーディオルームにしている』と言われたんです」

という話をすればいいのです。

車の中は音が遮断されて、自分ひとりで好きな音楽を聞けるので、いいオーディオスペースになります。

カラオケの練習もできます。

「家族の邪魔にならないように自分のオーディオスペースにしているというお客様がいらっしゃいました」という話は、事例の1つになります。

そうすると、迷っているお客様は「それはやってみたいな」という気持ちが湧いてきます。

その商品がどんなに得で、どんなに性能がいいかということにはなんら関係のない事例です。

「こういうふうにご利用になっているお客様もいらっしゃいました」と言うと、「いろんな使い方があるんですね」と言われます。

これが相手に寄り添う話し方なのです。

好かれる人の話し方　28

聞き手が黙ったら、自分も黙り、事例を伝えよう。

29

長所ばかり話しても、説得力は出ない。

お客様に商品を買ってもらおうと思う時に、長所ばかり語る人がいます。
セールスマンの話を聞きたい人はいません。
自分がお客様になる話も聞きたくありません。

たとえば、女性が車を買おうと思う時に相談するのは、なじみの美容師さんです。
美容師さんは、車の専門家ではありません。
美容師さんは、どういう友達がいて、どういう仕事をしているか、どういう結婚式に出て、家族構成がどうなっているか、髪質がどうか、ライフスタイルがどうなっているか、今つき合っている彼は何をしているかなど、自分のことを一番よく知っている専門家です。

自分についていろいろなことを話しているのが美容師さんです。

そこで「今度車を買おうと思うんだけど、どうしたらいいと思う？」と聞くと、「お客様のライフスタイルならこういう車が向いているんじゃないですか」とアドバイスしてくれるのです。

「そういえば、いつも僕が担当させていただいているお客様で、この間その車を買った人がいて」という話は、車の性能ではなく、ライフスタイルに関することです。

そこには「この車は何馬力で」という説明はまったく要りません。

買ってもらいたい時は、長所ばかりでなく弱点を語ることも必要です。

「この車の弱点は○○なんだよね。○○が壊れやすいんだけど、メンテナンスはけっこう早いらしいよ」という話をすると、より安心します。

弱点を述べて、その弱点の解決策もセットで話されると、聞き手は一番信じるのです。


実際に寄り添う話し方は、「この商品がいいよ」と言うことではありません。

「この商品を使った人がどうなったか」を話すことです。

どんなにその商品の性能が素晴らしいかは関係ありません。

結果として、「ユーザーの人生が変わった」「元気になった」「何かを始めた」という話のほうが大切なのです。

好かれる人の話し方　29

弱点と、リカバリーをセットで話そう。

30
「エライ目にあったよ」と言う時は、話したがっている。

たとえば、お得意先に行くと「この間、銀座のクラブに行ったらエライ目にあったよ」という話をふられました。

これは相手からサーブが来たのです。

相手は、「銀座のクラブで、かわいいんだけど、とんでもない子がいて、エライ目にあったよ」という話がしたいのです。

そこで「よかった。僕は銀座にいなくて」と先に言われてしまうと、そのあとでエライ目にあった話がしにくくなります。

「今は山のほうがいいですよ」と別のほうへ話題をふる人も、悪意はないのです。

善良であればコミュニケーションがうまくなるというわけではありません。

相手は、エライ目にあったといういいネタを話したくてしようがないのです。

その話をすることで、エライ目にあったことの元がとれるのです。

それなのに「いや、それより山のほうがいいですよ」と言われてしまうと、相手は「この人と話しても楽しくない」と思います。

「エライ目にあったという話を早く忘れさせよう」という方向が、間違いなのです。

相手の成功談も失敗談も全部吐き出させてあげると、「またあなたと話したい」と指名される人になるのです。

好かれる人の話し方 30

悲惨な話を、聞こう。

31
同じ話を何度でも聞いてくれる人が、かわいがられる。

会話で一番困るのは、上司や得意先が前に聞いた話と同じ話を始めることです。
年をとればとるほど、同じ話がだんだん増えてきます。
これは、実はチャンスです。
同じ話は、その人が大切に思っているテーマで、一番話したい話です。
古典落語と同じです。
古典落語は、「その話、前に聞いた」と言って聞くのをやめる人は誰もいません。
話の筋はわかっているのに、毎回面白いし、味わえるのです。
同じ話を面白がれるかどうかが聞き手の力です。

落語と違って、会話にはツッコミまで入れられます。
好かれる人は、同じ話を何回でも聞ける人です。
聞き手が話を膨らませていけばいいのです。

子どもは会話の天才です。
同じ絵本を何回でも「読んで」と、せがみます。
絵本は、読めば読むほど、絵を中心に本文にないネタが膨らんでいきます。
追加の話が子どもは楽しいのです。
それをカットすると、「飛ばさないで」と言われます。
冒頭は「昔々、あるところに」で決まっています。

上司や得意先が「昔ね」と言ったら、同じ話が始まる合図です。
ここで「エッ、なんですか」と、食いついていきます。

それだけで目上の人に引き立てられて、チャンスをつかめます。

同じ話は、練りに練られた古典落語のようなものです。

人間は新しい話ばかり聞きたいわけではありません。

話し手は自分の十八番の話が一番面白いのです。

残念ながら、半分以上の人が「それ、前に聞きました」と言って、同じ話を叩きつぶします。

目上の人にかわいがってもらえることが、チャンスをつかむコツです。

「あっ、言ったっけ」で、相手はそれ以上話すネタがなくなるのです。

鉄板のネタが出てきた時に、「前にも聞きましたけど、もう一回聞きます」という姿勢ではなく、あたかも初めて聞いたかのように楽しみます。

有利なのは、1回聞いてストーリーを知っている分、ツッコミやすいことです。

オチもわかっているので、さらに膨らませて、アレンジを加えていけます。

話し手が原作者なら、聞き手は脚色家または演出家です。

同じ話をされても、「ハズレ」と思わないようにします。
「この話、したっけ？」と言われた時に、「聞いていないです。なんですか」と言うことで、チャンスがつかめるのです。

好かれる人の話し方　31

相手から同じ話が出たら、チャンスと考えよう。

32 アイコンタクトすることで、リズムがあう。

「リモートで話すと、リズムが合わせにくい」という人がいます。

会話で大事なのは、リズムです。

リズムを合わせるコツは、アイコンタクトです。

コンサートの演奏家は、指揮者や周りの演奏家と、常にアイコンタクトをとっています。

リズムは、伸び縮みします。

メトロノームのように一定ではありません。

自分の好きなリズムで話しても、相手と噛み合いません。

「なんか、あなたと話していると、話が弾まない」

というのは、リズムが合っていないのです。

その原因が、アイコンタクトがなかったことなのです。


リモートでアイコンタクトするためには、相手にまっすぐ正対することです。

人によってパソコンが置かれている状況や、デスクの状況が、様々です。

時々、カメラを横に置いて、デスクでメモをとっている人がいます。

そうなると、相手からは、真剣に聞いてくれていない人に見えます。

「自分では、相手を見ているつもりなのに、相手から『なんで、横向きなんですか』と言われました」

という人もいます。

これは、画面の相手と、カメラの位置が、ずれているのが原因です。

画面の相手は、必ずしも、カメラの位置にあるとは限りません。

カメラの位置は動かしにくいので、画面の位置をスライドさせることです。

自分と相手の2名が映る画面で、カメラがセンターにあると、相手からは、横を向いて話しているように、見えてしまうのです。


ノートパソコンをデスクに置いて、リモートで話す人は、下から上に見上げる形で、写ります。

顔の後ろが、後ろの壁ではなく、天井になっています。

こうなると、相手は、息苦しく感じます。

見下されている感じになるのです。

カメラの位置を上げて、相手の目線と同じ高さになるように、調節することです。

理想の状態は、ニュースのアナウンサーの目線の高さです。


相手と目線の高さを合わせることで、ストレスなく、アイコンタクトをする

ことができます。

自分がアイコンタクトできないということは、相手もアイコンタクトしにくいということなのです。

数人での会議の時は、他の参加者の水平ラインと一致させることで、アイコンタクトを取ることができます。

アイコンタクトを、ストレスなく取ることで、リズムを合わせることができるようになります。

好かれる人の話し方　32

リモートの画面を、水平になるようにセットしよう。

33

自分が表情豊かにすると、相手も表情豊かになって、感情がわかる。

「リモートになって、相手が言っていることとちぐはぐになって、ギクシャクします」

という悩みを抱えている人もいます。

相手が言っていることと、ちぐはぐになるのは、気持ちをくみ取っていないからです。

言葉ではなく、気持ちをくみ取るには、相手の表情を見ることです。

「相手が、オフィスの場合、マスクをしていて、表情が読み取りにくい」

という人もいます。

たしかに、マスクは、表情を読み取る範囲が狭まります。

ただし、日本人は、表情を口ではなく、目でつくります。

欧米人は、口でします。

欧米のスマイルマークが、口がニッコリに対し、日本の笑顔マークは、目がニッコリです。

「相手の表情が、変化が乏しくて、困る」

という人もいます。

相手の表情は、自分の表情です。

表情は、連動します。

相手の表情の動きが小さい原因は、自分の表情の変化が乏しいからです。

自分の表情の変化を大きくすると、連動して、相手の表情の変化も大きくなります。

「自分では、表情を大きめにやっているつもりなんですが」

と、言います。

表情の変化のない人は、自分でやっているつもりでも、相手から見ると、まったく表情の変化のない人に見えています。

表情は、顔の筋肉で動きます。

長年使っていないと、表情を動かす筋肉が、動かなくなってしまいます。

急に動かそうと思っても、なかなか動きません。

俗に「営業スマイル」と嫌われる表情は、口で笑って、目が笑っていない表情です。

マスクのない時代には、口でごまかせていた表情が、マスクで一気に、バレてしまったのです。

「表情を出したら、負け」と、会話に勝ち負けを持ち込んでいた結果、表情を出すことができなくなってしまっていたのです。

マスクをしていても、表情を大きくするには、自分が思う２００％の変化をして、丁度いいくらいです。

そうすることで、相手も200%になって、相手の感情がわかるようになります。

数人で同時に画面に映ると、表情のある人と表情のない人が、くっきり分かれます。

会議は、表情のある人を中心に進められることになるのです。

好かれる人の話し方 33

表情を、200%で表現しよう。

34
会話の中心に、いきなり入らない。

パーティーに行くと、すでに何人かで輪ができて話が盛り上がっていることがあります。

話の輪に入るキッカケがむずかしいです。

いきなり入って、みんなにキョトンとされても困ります。

その時の入り方があります。

輪ができていても、まんべんなくみんなが話しているわけではありません。

たとえば、話し手が１人いて、まわりの５人が聞いているという状況です。

そこに自分も６人目の聞き手として入っていきます。

好かれない人は「なになになに？」と割り込んでいきます。

話し手としては、これが一番めんどくさいのです。

「今までのあらすじを、もう一回話さなければいけないの？」とウンザリします。

聞いていた人たちが説明する場合も、輪にいた人たちはその人が話に追いつくまで待つことになって、今までの空気を壊してしまうのです。

コミュニケーションのヘタな人ほど、「なになになに？　なんの話、なんの話？私にも聞かせて」と言って、今までの流れを崩してしまいます。


コミュニケーション力のある女性は、まず、一番離れたところに座って、しばらく話を聞きながら、自分のそばにいる人に「そういうことってあるよね」とふっていきます。

それを話し手は見ています。

「今、新しいコが来たな。このコをどうやって輪の中に入れてあげようか」と考えています。

今までのあらすじに戻らなくても、ちゃんとその人がわかるように説明してくれるのです。

いちいちもう一回説明していたら、テンポが遅くなります。

好かれる人は、しばらく黙って聞いています。

いきなり入ることはしません。

流れに大体合流できた時に、自分の一番近くにいる聞き手に「面白いね。そういうことってありますよね」と話しかけます。

これがナチュラルに輪の中に入って行くコツなのです。

好かれる人の話し方　34

会話の輪に入るには、一番近い人に話そう。

35
知り合いがいない時は、主催者に挨拶する。

パーティーで、知り合いが誰もいないことがあります。
まわりは知らない人ばかりです。
この時に、誰と話していいかわからないのです。

そういう時は、主催者に挨拶に行きます。
主催者のまわりには常に人がいるので、主催者が誰かを紹介してくれます。
時には、主催者すら知らなくて、義理で行かなければならない会もあります。
特に、主催者が偉い人の場合には、これが起こりがちです。

その場合は、ウエイターやアシスタントなど、会場のスタッフに話しかけます。話しかける相手は、その会のお客様とは限りません。スタッフに「水割り下さい」とオーダーをする人はいても、スタッフに話しかける人はほとんどいません。

レストランでのパーティーなら、スタッフに「今日食べた中で、あれが一番おいしかった。今度プライベートでまた来ます。メニューはありますか」と話しかけます。

お店としては、また来てほしいから、感じがいいのです。

レストランのオープニングパーティーで、業界関係の人が久しぶりに会います。つい知り合い同士の会話になって、レストランのことは二の次になります。

そんな時こそ、チャンスがあります。

口で「また来ます」と言うよりは、お店の人に「メニューを見せてください」「予約するからショップカードを下さい」と言うほうが意欲を感じます。

一番動いているスタッフを見つけたら、「君、名前はなんていうの。前はどこの店にいたの」と聞きます。

これがレストランの人に覚えてもらうコツです。

パーティーのお客様とばかり話していても、いつもの同じメンバーなので、新しい出会いはありません。

レストランのオープニングパーティーには有名人も来ます。

有名人は有名人同士で話しています。

結果、その人たちは二度とそのお店に来ないのです。

レストラン関係の人間は、どんなメニュー構成で、値段はいくらぐらいなのかに興味があるので、必ずメニューを見せてもらいます。

優秀なスタッフを見つけたら、「前は何をやっていたの」という会話のやりとりが生まれます。

オープニングパーティーに、似たような状況はたくさんあります。

ほとんどの人は偉い人や有名人にばかり話しかけます。

スタッフは一生懸命頑張っているのに、印象がないのです。

いかにスタッフに会話をふっていけるかです。

自分の意見を言う前に、まず、「誰かにふる」という意識を持つことが大切なのです。

好かれる人の話し方　35

誰も知らなければ、スタッフに話しかけよう。

36 スタッフを紹介しよう。

ＴＶ番組では、取材してきたＶＴＲが入ることがあります。

スタジオにいる人間は、自分の意見を言う前に、まずはＶＴＲを撮ってきた人について触れていきます。

「バカなことやってんな」と言うことによって、ＶＴＲの人はスタジオにいなくても、「自分のことをいじってくれた」と、うれしくなります。

「いじる」という感覚が大切です。

先日、大阪で１２００人規模の講演をしました。

お客様はテンションが高く、早くから会場の前で並んでいました。

あまりにも並んでいるので、会場を早くあけました。

講演も午後2時半開始予定のところを2時15分に始めました。

時間通り2時半に来た人は損をします。

クレームになって主催者に迷惑がかかります。

私は「これは前説ですよ」と言ってから話を始めました。

よく考えると、私は去年も同じことをしていたので、よけいみんなが早く来るようになったのです。

講演最初にプロのＭＣが講師の紹介をします。

ＭＣの人は、そのための練習もしてきています。

去年は、その人の出番がなくなってしまいました。

今年もそうなったら申しわけないのです。

私は2時半になった時に、「去年、せっかく準備していたのに出番がなかったので、今年は僕がMCを紹介します。クボタエミさんです。拍手でお迎えください」と言ってMCを呼び込みました。

クボタさんは「講師に紹介されたのは初めてです。自分は講師を紹介する仕事なのに」と言っていました。

こういうことが楽しいのです。

その場の主役にばかり気持ちをとられないで、現場の人たちと盛り上がることが大切なのです。

好かれる人の話し方 36

現場の人と話そう。

37 一流ホテルに行くより、そのホテルのスタッフに話しに行こう。

私はホテルの研修をしています。

ある人に「サービスの勉強になるホテルを教えてください」と言われました。

私は「〇〇ホテルに行って、△△さんに会って話すといいですよ」と答えました。

目的は、ホテルではなく、そこで働いている人と話をすることです。

旅行も、写真や景色よりも、こんな人に会って、その人とこんな話をしたということが一番の思い出です。

レストランに行っても、「スタッフやシェフとこんな話をした」というのが思い出になるのです。

好かれる人は、連れとお店の人と自分の三角形で話をします。

そうすれば、連れの人は「あの店、面白かった」という印象が残ります。

料理よりも会話を覚えているのです。

「得意先の接待でうまくやりたい」とか「デートでモテたい」という気持ちが先行すると、せっかくのお店の人と話すチャンスを逃します。

メニューを決める時も、できるだけ会話を省略しようとします。

目の前の相手にばかり気持ちが走ると、逆に会話を楽しめなくなるのです。

好かれる人の話し方 37

そこで働いている人と話をしよう。

38
好かれる人は、聞き手が離れていく時は、声をかけない。

会話の中で、聞き手が話し手から離れていく瞬間があります。
その時に、好かれる人は追いかけません。
追いかければ追いかけるほど、相手は逃げていきます。
「ちょっと待って」という状況では話せないのです。
好かれない人は追いかけてしまいます。
たとえば、聞き手が騒いでいる時に「静かにしてください」と言うのです。
これが一番静かにならないやり方です。
好かれる人は、そういう時は小さい声で始めます。

Ｍｒ・マリックさんも、手品をする時に静かに話しています。

あれはマリックさんがデパートのマジックコーナーで販売をしていた時のテクニックです。

大きい声で注意を惹こうとするよりは、小さい声で話したほうがみんなが集まってきます。

「皆さーん、話を始めますから聞いてください」というのは、ヘタな話し方です。

パーティーで、途中でスピーチが入ることがあります。

みんなは盛り上がっていて、音楽もワンワン流れています。

その時に、マイクがハウリングしてキーンというぐらいの音量で「これから中谷さんが話をしますから、黙って聞いてください」と言われたら、みっともないです。

私のほうが居たたまれなくなります。

「今、ここでスピーチいるか？」ぐらいの状況です。

話している人には、話させておけばいいのです。

宴会のオヤジの挨拶で「みんな黙って聞け」と言われると、よけい聞くのがめんどくさくなります。

スピーチは、まわりにいる人たちにだけ話せばいいのです。

そこで笑いが起こったら、みんなはそちらに注目します。

あとから聞きに来るだけでいいのです。

マリックさんのあの静かなしゃべりで、不思議と引き込まれていくのです。

これが好かれる人の話し方です。

小さい声で話せることが余裕なのです。

「聞け」と言われると、聞きたくなくなります。

「面白い話が今から始まりますよ」と言われても、興味が持てないのです。

手品の達人と一緒にごはんを食べに行ったことがあります。

達人は「手品のコツは『これから手品をするよ』と言わないことです」と言っていました。

前置きなく、スッと入ります。

「あら、ここのコショウは不思議なコショウですね」と言って、そのコショウを料理にかけると、お皿がスーッと動いたのです。

私は思わずそのコショウを見てしまいました。

そのあと、また普通の会話に戻っていきます。

「こういうやり方なんだな」と思いました。

手品のやり方は、話し方と同じなのです。

好かれる人の話し方　38

小さい声でさりげなく話し始めよう。

39 心の声とキャッチボールしよう。

ある手品の達人は、生徒と弟子をたくさん持っている大師匠です。

私は「手品で伸びる人はどういう人ですか」と聞きました。

達人は「手先の器用さは関係ありません。手品は観察力です。お客様が今どこを見ているかがわかれば、タネは机の上に出ていても平気です。実際、出ています」と言いました。

どこを見ているかわかっていれば、見ていないところに置けばいいのです。

こっそり置くという指先のテクニックの問題ではありません。

好かれる人は、聞き手が今、どんな絵を思い浮かべ、どんなひとり言をつぶ

やいているかがわかっています。

そこに足りないところがあれば、補います。

その絵を使って引き込んでいくのです。

1対多でも、1対1でも、まったく同じです。

聞き手は黙っていますが、頭の中で話している言葉が必ずあります。

それを聞いてキャッチボールするのです。

ベースは、「2人で話している」という感覚です。

究極的には、会話は1対1でするものです。

自分の中にあるのではなく、2人の間にあるものなので、相手を感じないといけないのです。

凧揚げで、凧糸をムリに引っ張ると切れてしまいます。

凧揚げのうまい人は、凧をひっぱる感覚を味わうだけで、力は入れていません。

凧を自由にさせてあげることで、風で勝手に揚がっていくのです。

話し手は、話してばかりいないで、むしろ聞き手の声にならない声を聞き取っていきます。

手品師は、目の前にいる人の「あそこが怪しいいな」「きっとあそこに隠しているに違いない」という心の声が聞こえているから、そこ以外の場所にタネをドーンと出しても平気なのです。

心の声が聞こえたら、勝ちなのです。

好かれる人の話し方　39

声にならない声を聞こう。

40 「変わらないですね」より、「変わりましたね」が、うれしい。

久しぶりの人に会った時に、好かれない人は「変わりませんね」と言います。

ほめ言葉のつもりです。

「変わりませんね」からは、話が広がりません。

「変わりましたね」と言うと、「ジムに行っているんですよ」とか「最近、ボクシングを始めたんですよ」という展開になります。

言われてうれしいのは、「変わりませんね」より「変わりましたね」です。

「変わりましたね」

「どう変わりました？」

「何か締まった感じがしますよね」

と、会話が広がっていきます。

会話が転がっていくようなリアクションを出していくのです。


ここで「変わったところが見つからなかったらどうするんですか」という質問が出ます。

前のことは覚えておく必要があります。

「何か変わりましたね」と言うと、「わかります？」というリアクションが必ず出てきます。

さらに、**「どこだろうな。何か違うよね」と言うと、そこで相手と一緒に考えることができます。**

「髪型変えた？」は、会話が苦手な男性の典型的な質問です。

とりあえず、ビビりながら、カマをかけているのです。

わかっていないのがバレバレです。

それだったら、「何か変わったよね」と言うほうがいいのです。

そこで相手が髪の毛をさわったら、髪型が変わったとわかります。

「髪型を変えました。中谷さんの本を読んで額を出してみました」という展開になるのです。

それがないと、天気の話題になってしまうのです。

好かれる人の話し方　40

前回との違いに気づこう。

41 いいネタは、「そういえば」で思い出したネタ。

会話のネタがない時は天気の話をすればいいと言われます。
天気の話題でも、広げていくことは大切です。
「そうですね」で終わるのが、一番よくないやりとりです。
タクシーの運転手さんが天気の話題をふってきたら、どんどん広げていきます。
タクシーは会話の学校です。
何をふられるかわからないから、練習になるのです。
タクシーの運転手さんと目的地まで会話が弾むようになったら、好かれる人です。

それが得意先に行った時のネタになります。

「今、タクシーの運転手さんに面白い話を聞いたんですよ」と言えるのです。

「ネタがない」と言う人は、人と話していないのです。

ネタをどうやって見つけるかということではありません。

話すから、ネタができるのです。

話のネタ集を買ってきても、話は盛り上がりません。

覚えたネタだからです。


一番いいネタは、「そういえば」で思い出せるネタです。

覚えてきた話は興味が持てません。

覚えてきたわけではないのにスラスラと芋づる式に出てくる話に、相手は興味を持つのです。

稲川淳二さんの怪談は、芋づる式に出てくる会話です。

「そういえば、○○」「そういえば、△△」と出てくるから、聞いた人はリアルに感じるし、面白いのです。

最初から「こういう展開になって、こういうオチで」という話は、聞かされている感が出てつまらないのです。

やりとりは、話し手と聞き手が一緒につくっていくものです。

聞き手は、話し手が初めてする話を聞きたいのです。

その前に話していたことが、次の場所に行った時の一番のネタになるのです。

好かれる人の話し方 41

「そうですね」で終わらない。

42

情報よりも、人生を感じる話が面白い。

タクシーの運転手さんの話は、「こんな話をするはずだ」という予測を裏切られるのが楽しいのです。

時々、「まさかこんな話をタクシーの運転手さんに聞かされるとは」ということがあります。

あるタクシーの運転手さんに、

「お客さん、帽子、カッコいいな。僕も最近、帽子かぶってるんですよ。そうしたら、家内が『似合う』と言うんですよ。今までそんなこと一度も言ったことがないんですよ。67歳になるんですけどね。ジーパンを履いた時は『似合わないから、やめて』と言っていたのに、帽子は『お父さん、似合う』と言うんです。私には直接言いませんよ。『お父さん、帽子似合う』と、ケータイで写真を息子に送ったらしいんですよ。それを息子から聞いたんです」

という話をされました。

ここの家族を紹介されたようで、ほのぼのした感じになりました。たった20分乗っているだけのタクシーで、完全にその家族の家に上がったようなやりとりになったのです。

ウンチクや豆知識、情報よりも、そこに物語があったり、人生を感じる話のほうが面白いのです。

好かれない人は、自分の物語は語りたがりますが、他人の物語は、聞くのが好きではありません。

好かれる人は、相手の物語を聞く余裕があります。

好かれない人は、自分に関係のある情報を聞くのが好きです。
他人の物語よりも、自分に関係する情報を聞きたがるのです。
情報は、儲けにつながる話です。
物語は、儲からないかもしれないけど、人生に深みを与える話なのです。

好かれる人の話し方　42

相手の物語を聞こう。

第4章

会話の最初と最後に「メリハリ」をつける。

43

会話とは、集中力だ。

コミュニケーションで大切なのは、集中力です。

会話の苦手な人は、集中力がないことが原因です。

そういう人は、会話の冒頭と最後を聞き漏らします。

たとえば、ＴＯＥＩＣのリスニングテストがあります。

ヒアリングは、文法力と同時に集中力が必要です。

どんなに文法力があっても、集中力がなければ冒頭が聞けません。

４択の問題なのに、冒頭がＷＨＥＲＥかＷＨＯかを聞き漏らすと、答えようがないのです。

ヒアリングで一番聞く必要があるのは、ＷＨＥＲＥかＷＨＯかです。

「どこ？」と聞かれたのか「誰？」と聞かれたのかを聞き漏らすと、どんなに文法の力があっても答えられません。

ところが、集中力がない人は、日本語でもこの冒頭を聞き漏らします。

たとえば、「中谷ですけども」とレストランに予約の電話をすると、

「いつもお世話になっています」

「今夜７時に２名で、禁煙の席で伺いたいんですけど」

「はい、わかりました。少々お待ちください」

となりました。

お店の人は予約のノートを出しているのです。

すると、「まずお時間から」と言われました。

「今日の７時です」

「何名様ですか」

「2名で」

「禁煙、喫煙は？」

「禁煙で」

と、コントのようなやりとりが起こりました。

最後には、「もう一度お名前を」と言われました。

この人は集中力がないために、私の話を聞き漏らしたのです。

ここで、お客様は「このお店はダメだな」と判断します。

聞き取れなかったのは、耳が遠いからではありません。

集中していないからです。

電話をとる瞬間から自分の受信マイクの音量を上げておく必要があるのです。

相手の話の途中から音量を上げるから、冒頭が消えてしまうのです。


話をしていると、時々通じていない人がいます。

相手の冒頭の言葉を聞き漏らしているのです。

冒頭だけでなく、最後の言葉を聞き漏らす人もいます。

「こんな話に違いない。次に自分は何を言おう」と思い始めて、相手の最後の言葉を聞き漏らします。

次に自分が話すことを考えてしまい、最後のところで相手の話を聞く耳の集中力のボリュームを落とすからです。

これでとんちんかんなやりとりになってしまうのです。

ＴＯＥＩＣのリスニングと日本語の会話のコツは、同じです。

冒頭と最後を聞き漏らさないように集中することが大切なのです。

好かれる人の話し方　43

会話の冒頭と、最後を集中して聞き漏らさない。

44 「私はやりたくなかった」より「共犯者です」で、好感度が上がる。

ミスをした時に、冒頭に言いわけから始まると好感度が下がります。

コミュニケーションで大切なことは、「話していて楽しいな」と好感度が上がることです。

勝ち負けは関係ありません。

「この人は正しい」「間違っている」とか「この人は仕事ができる」「できない」と判断されるわけではありません。

話し終わったあとに「感じがいいな」と思われるのは好感度がいい人です。

本で言うと、「読後感」です。

本の中で厳しいことを言っていても、読後感のいい本があります。

いいことが書いてあっても、砂をかむような読後感が残る本もあります。

会話にも、「話後感」があります。

ゴーストライター事件で新垣さんが会見をしました。

冒頭で「私はやりたくなかった」と言っていたら、感じの悪い人になるところでした。

ところが、新垣さんは冒頭で「私も共犯者です」と言ったのです。

そうすると、聞いている側は、「気の毒に」という気持ちになります。

ミスをした時は、ミスで怒られるのではありません。

ミスしたあとの話し方が問題なのです。

「私も共犯者です」と言うと、「そこまで言わなくていいでしょう」と、まわりが味方につきます。

ミスしたから嫌われるのではありません。

ミスしたあと、どういう言葉が出てくるかで差がつくのです。
つい自分を守ろうとして、「私はやりたくなかった」と言いわけをする人がいます。
言いわけは、好感度を下げるだけで、自分を守ることはできません。

冒頭で最低のところから始めればいいのです。
「私も共犯者です」と言うのは、最低のラインです。
そこまで言うと、「ある意味、被害者でしょう」とみんなが言ってくれます。
相手が思っていることを先に言って、まわりを味方につければいいのです。

好かれる人の話し方　44

最初に、最低のところから始めよう。

45
マラリアの怖さを、蚊のアクリルボックスを、あけることで伝える。

人前で話をする場合、今はパワーポイントなどの便利なツールがたくさんあります。

昔なら印刷所に頼むようなパンフレットも自分でつくれます。

TV顔負けのスライドもつくれるようになると、みんなそれに頼り始めます。

話がうまい人は、小道具を使うにしても、小さいモノを使います。

アメリカの小学校では、ショウ・アンド・テルという授業があります。

家から自分の好きなモノを持ってきて、そのモノについて語るのです。

好かれる人は、小さなモノを使って相手をひき込みます。

好かれない人は、大がかりなモノを用意します。

そのため、みんなの目が道具にいって、なんの話だったか覚えていないということになってしまうのです。

道具を使う時は、たくさんの道具を持ってくるより、たった1個の道具で説得力があるというのがベストです。

たとえば、TVの番組で、家の中にいらないモノがあるから断捨離しましょうという話になりました。

すると、段ボール箱を1個持ってきて、「これは私がこの間引っ越した時に持ってきた段ボール箱なんですけど、まだ中をあけてないんです。箱に書いた中身の表示がマジックで何回も消してあるので、どれが正解かわからなくなっていますが、今日あけようと思います」と言いました。

聞いている側は、「早くそれをあけてくれ」という気持ちになります。

結局、最後まであけませんでした。

「ところで、私、今度また引っ越しすることになりまして、これをこのまま持って行きます」と言って終わったのです。

中に何が入っているかわかりませんが、その箱をあけないまま生活できるのだから、いらないモノであることはたしかです。

聞き手には、その段ボール箱は捨てていいというメッセージが伝わってきます。

断捨離の話の時に出てきたのは、段ボール箱1個だけです。

裏でその箱をつくっただけで、中身は入っていない可能性もあります。

CMをつくっていた人間としては、「見せ方がうまいな」と感心しました。

「早くあけてくれ」と思いながら見ていると、最後は「なんだったんだろう。結局いらないモノじゃん」とツッコミたくなるのです。

ビル・ゲイツさんは、インターネット社会をつくった人です。

プログラミングがすごいのではなく、プレゼンテーションが素晴らしいのです。

彼は話がうまいので、コンピュータ関連以外の分野でも成功したでしょう。

「エンジニアは、どちらかというとオタクで話が苦手な人がなる」という思い込みは勘違いです。


ビル・ゲイツさんは、ボランティア活動をしています。

「アフリカのマラリアをなくしましょう。皆さんも一緒に参加しませんか」と話す時に持ってくるのは、10センチ四方ぐらいの小さいアクリルボックスです。

「この中に入っている蚊がマラリアを増やして、大ぜいの子どもたちが亡くなっています。皆さんでこれをなくしましょう」と言って、最後にその箱をあけるのです。

その場で聞いていた人たちはみんな「ウワアッ」と驚きました。

蚊が入っているというのはジョークなのです。

箱をあけるまでは、遠いアフリカの話で「それはそうだよね」と思いながらみんな聞いていたのです。

箱をあけると急に自分の問題になって、「その蚊が今飛び出たんじゃないの？」と蚊を追い払おうとします。

箱をあけた瞬間に「オーッ」となって、「協力します」という気持ちにさせるのです。

好かれる人の話し方　45

小さな小道具を使おう。

46

2つ以上のモードを持つ。

「お笑いモード、優しいモード、厳しいモードのどれが、話し方としては一番いいのでしょうか」という質問があります。

答えは「モードを、2つ以上持つ」ことです。

たとえば、テレビショッピングでおなじみのジャパネットたかたの前社長・高田明さんは2つ以上のモードを持っています。

ビデオカメラを売る時に、「さあ皆さん、お孫さんの運動会。おじいちゃんが、撮りに行きました。なんとお孫さんが1位になりました。それをビデオで撮りました。すばらしいですよね」と言うのは、ハッピーモードです。

このあと、すぐに「今日ご紹介するカメラは……」と言ってしまうと、メリハリがなくて盛り上がりません。

「なんだ、そこに至るための話だったのか」ということになるのです。


これで終わらないのが高田さんのしゃべりです。

「ところがですね、皆さん、大変なことが起こりました。家へ帰って再生したら、ブレブレで何も写っていない。おじいちゃんの面子丸つぶれです。せっかく１位になったのに、隣のお父さんの頭にピントが当たっています。お孫さんがまったく写っていない。家族からのやんやの総攻撃」。

これはアンハッピーモードです。

さらに高田さんは、「でも、大丈夫です。今日ご紹介するのは手ブレ防止のビデオカメラです」と言って、またハッピーな展開に持っていきます。

「ハッピー」→「アンハッピー」→「ハッピー」と、モードが切り替わっているのです。

私もビジネススクールで話をする時は、「お笑いモード」と「真剣モード」を使い分けています。

モードは最低でも2つないと切り替えができません。

これを3つ、4つと増やしていきます。

そうすると、聞いている側はメリハリ感が出ます。

一本調子で来られると、単調になります。

だんだん飽きてきて、耳に入らなくなるのです。

「どれが一番いいか」ということではありません。

複数のモードを組み合わせていくのが正解です。

ギターのコード進行と同じです。

メジャーだけの曲は、聞いていて幼稚に聞こえます。
マイナーだけでは暗くなります。
メジャーとマイナーの組合わせになっているから聞けるのです。

どんな短い話の中でも、元気な部分と静かな部分とがあります。
ハッピーを伝えるためには、アンハッピーと組み合わせることです。
ハッピーだけでは、ハッピーさが伝わりません。
毒舌と言っても、けなしているだけでは、嫌がらせになります。
巻きこみの達人・綾小路きみまろさんの毒舌は「持ち上げ」がセットになっています。

「そこの人、昔はきれいだったでしょ。わかります」といったん、持ち上げます。
その後で、「今は、どうです」と、また下げる。
いったん持ち上げているので、このダウンが、冷たく感じないのです。

一方向の力では、相手を巻きこむことはできません。

2方向の力が加わることで、聞き手は巻きこまれるのです。


笑福亭鶴瓶さんは人を巻き込む達人です。

鶴瓶さんの話は、静かに入って、途中で盛り上がって、また静かになります。

「小」→「大」→「小」と切り替わるのです。

稲川淳二さんの怪談も同じです。

「小」で始まり、一番怖いところで「大」になり、また「小」になって話が終わります。

誰かと話す時も、冒頭からいきなり「大」で始まると、聞き手は話に入ってこられません。

稲川さんの怪談は愛されます。

普通の怪談は、最後に「キャー」と言わせて終わりです。

稲川さんの怪談は、途中で「キャー」となって、最後は静かに「不思議なことって、あるものなんですよねえ」で、フワーッと終わるのです。

オチ終わりではなく、余韻終わりです。

初対面の人と話す時でも、２人で話す時でも、何人かに話す時でも、まったく同じです。

好かれる人は、静かに始まって、盛り上がって、静かに終わります。

好かれない人は、それと逆のことをしているのです。

好かれる人の話し方　46

モードは「小」→「大」→「小」と切り替えよう。

47

キャバクラでも、一瞬、大切な話が出る瞬間がある。

たとえば、得意先の社長にキャバクラに連れていかれました。

通常、キャバクラに行くと女性とワーワーキャーキャーと話します。

そんな中で一瞬、仕事の話になる瞬間があります。

この一瞬の変化にのり遅れないことです。

得意先の社長が女性と話して完全にキャバクラモードのトーンになっていても、**急に仕事モードになる瞬間が訪れてもいいように準備しておけばいいのです。**

みんなが仕事モードになった時に自分だけ女性と話していると、置いていかれます。

この切り替えが大切なのです。

キャバクラで働いている女性も、好かれる人と好かれない人に分かれます。

好かれる人は、お客様が急に仕事モードになった時にバカ話をピタッととめられます。

好かれない人は、お客様が急に仕事モードになっても流れを変えられません。

バカ話のトーンでいるから、「ちょっと静かにしてくれる？」と言われます。

仕事モードと遊びモードは、流れがコロコロ変わります。

その流れにのり遅れないことです。

常に流れが変わることを意識しておく必要があるのです。

好かれる人の話し方　47

遊びの場での大切な話を聞き逃さない。

48 大切なことは、雑談の形で語られる。

話す力は、相手が大切な話をしていることに気づくセンスです。

中谷塾の「体験塾」では、目的地へ移動する道中に、いろいろなところでいろいろな達人に会って話を聞きます。

浅草に行った時、老舗の喫茶店に行くまでの間に、道々、カリカチュア（誇張似顔絵）の世界チャンピオンであるＫａｇｅさんに話を聞く機会がありました。

Ｋａｇｅさんは、たくさんの生徒を教えています。

私が「どういうお弟子さんが伸びますか」と質問すると、Ｋａｇｅさんがそれに答えてくれました。

ただの移動の時間ですが、そのやりとりが大切な授業です。

この時に、自分の似顔絵を描いてもらってテンションが上がって、Ｋａｇｅさんの話を聞いていなかった塾生もいます。

同じ話を聞きに行っても、大切なところを聞き漏らしている人と、きちんと聞いている人とがいます。


話は目に見えないものです。

いい話は「これからいい話がありますよ」という前触れなく始まって、前触れなく終わります。


それをキャッチできる人とできない人とに分かれていくのです。

好かれる人は、大切な話が出てきた時に、スッと聞けます。

好かれない人は、雑談として聞き流します。

「雑談」イコール「たいした話ではない」と思い込んでいるのです。

「今、さらっと言ったことが、実は深い」と感じ取れるかです。

学校の授業との違いはここです。

学校の授業では、先生が「ここ、テストに出るぞ」と言ってくれます。

社会では、それがありません。

わからないように、わからないように、いい話が出てきます。

大声で叫んでいない部分、太字になっていない部分が、会話としては一番大切なところです。

それを聞き取って、キャッチして、ちゃんと返していきます。

大きい声で言っていることより、小さい声で言っていることのほうが大切なことが圧倒的に多いのです。

大きな声は、ムリヤリ伝えようとしている作為があります。

女性の大声の「だーい好き」は、セールストークです。

本当に好きな時は、聞こえるか聞こえないかの小さな声で、「好き」とささやきます。

小さな声は、ホンネで漏れている声です。

大事な話は、小さな声になります。

酔っぱらいの大声は、人の耳をふさぎます。

冷静な人のホンネの声は、限りなく小さくなります。

その小さな声を聞き洩らさないことです。

好かれる人の話し方　48

小さい声の大切な話を聞き漏らさない。

49 「聞き流していい」と言われると、ちゃんと聞きたくなる。

『世界一わかりやすい英単語の授業』の著者、関正生(まさお)先生は、50分の授業の中で「これから3分間だけ余談を言います。ここは軽く聞き流してください」と言います。

そう言われると、つい聞いてしまいます。

「これから大切なことを言うから、しっかり聞いてください」と言うと、かたくなって、逆に聞き漏らすのです。

「ここは聞き流していい」と言われたほうが、ちゃんと聞くモードになります。

「ここは聞き流していい」というのは、関先生の編み出した言葉です。

話し方のうまい人には独自の言葉があります。

新しい日本語ではありませんが、そういうフレーズがあることによって、聞き手は心地よく話を聞けるようになります。

それを聞き漏らさないことです。

私は、関先生の英文法のＤＶＤを見ながら、関先生の説明のうまいところもちゃんとメモをとっています。

英語の授業でありながら、同時に話し方の授業としても聞いているので、倍聞いていることになります。

こういう聞き方ができれば、いろいろなセミナーに行った時もお得なのです。

好かれる人の話し方 49

話の中身と話し方の両方楽しもう。

50

雑談は、AIがかなわない究極の知性だ。

ＡＩは、指示を言葉通り受取ります。
だから、間違いはありません。
人間は気持ちを受取るので、時に間違います。
間違ったら軌道修正できることが大切です。
むしろ間違わなければいけないといってもいいぐらいです。
勘違いしたり、先走ったりして、怒られてもいいのです。
こういうやりとりをすることで、会話は展開します。
誤解していたら、「ゴメンね」と謝ればいいのです。

失敗を繰り返していけることが、人間のコミュニケーションです。

これはＡＩのできないことです。

ＡＩは間違わないから、つまらないのです。

ＡＩは、いまだに雑談ができません。

雑談は、話がそれほうだいです。

ＡＩは、それることができないのです。

ＡＩの生みの親といわれるアラン・チューリングという数学者は、「コンピュータは人間の脳には追いつけない。なぜならば、どんなにコンピュータが進化したとしても、雑談ができないからだ。悔しかったら雑談をしてみろ。そうしたら、コンピュータが人間に追いついたと言えるだろう」と言っています。

実際に、ＡＩの雑談大会があります。

いかにコンピュータが人間と会話できるかということで、人工知能として最も人間に近いと判定された会話ロボットに授与される「ローブナー賞」という賞があるのです。

そこで優勝したＡＩでさえも、まったくとんちんかんな会話です。

人間が人と話をするという行為は、とてつもなく高度な技なのです。

好かれる人の話し方　50

言葉の裏側を感じよう。

第5章

感性こそ、ロジックで伝える。

51

話し方が上手な人は、遺伝ではなく、勉強したからだ。

話し方のうまい人とヘタな人がいます。

話し方のうまい人に対して、「あの人は生まれつき話し方がうまい」と思っている人が多いのです。

これは、日本語だからそう思ってしまうのです。

英語なら、「生まれつきあの人は英語がうまい」と思うことはありません。

英語は勉強する必要があるからです。

日本語の話し方のうまい人がいた時に、「あの人は生まれついてうまいんだ。

自分が話すのが苦手なのは遺伝で親のせいだ。親も口ベタだった」と親のせいにする人がいます。

英会話については、「親も英語ができないから自分もできない」とは言いません。

日本語の話し方がうまい人も、生まれつき上手なわけではありません。

学習をしたり、体験を積み重ねてうまくなったのです。

話し方がうまくなりたいと思うなら、自分も話し方を勉強すればいいのです。

話し方のうまい人とヘタな人は、話し方を勉強したかどうかで差がつくのです。

好かれる人の話し方　51

話し方のうまい人から、学ぼう。

52 うまい人の話を文字起こしすると、話し方のコツがわかる。

話が上手な人の話し方を覚えるコツは、その人の話を文字起こしすることです。

文字起こしで大切なのは、「大体」ではなく「正確に」することです。

そうすると、「ここにこういう言葉が入っている」「ここに句点が入っている」ということがわかります。


自分の話し方を直すにも、自分の話を録音して、それを文字起こしします。

この場合も、大体では自分のどこがダメなのかがわかりません。

言ったとおり正確に文字起こしすることで、「ここでいらない逆接の言葉が入っている」とか『えー』が入っている」とか「句点で切れるところを読点でつないでいる」ということがわかってきます。

まずは、自分の話している言葉を見える化するのです。

そうすると、自分がどんな話し方をしているのかがわかります。

文字起こしすることで、「うまい人はここがうまい」ということがわかります。

これはプロもやっています。

笑福亭鶴瓶さんは、ダウンタウンの松本人志さんのトークの文字起こしをしたそうです。

ほかの芸人さんの会話もすべて頭の中に入れています。

そうすることで、「こういう流れで、こういうツッコミを入れたりボケたりするんだな」ということがわかってきます。

ビジネススクールのビジネスコミュニケーション講座で、私は生徒に文字起こしを勧めています。

伸びる生徒は、正確に文字起こしして、自分のダメなところを直せます。

伸びない生徒は、大体で文字起こしするので、直せないのです。

プロなのに、文字起こしして、学んでいるのではありません。

プロだから、学んでいるのです。

学んでいるのが、プロです。

プロは、生まれながらに上手いわけではありません。

巻きこむ話し方を身につけるには、プロの話し方を文字起こしして、どこが違うのかを分析するのが、一番の近道です。

好かれる人の話し方 52

プロの話し方を正確に文字起こしして、分析する。

53

句点では、息継ぎをしない。

話のうまい人は、息継ぎの回数が少ないのです。

ひと息で長く話せるのは、肺活量が多いからです。

ボイストレーナーの楠瀬誠志郎先生に「中谷さんの話は『、』で息を吸っていないですね」と言われました。

何か言い終わったあとに、息が止まっているのです。

『、』で息を吸うと、集中力がすべて漏れてしまいます。

息継ぎをしない間は、相手は集中しています。

話し手が息継ぎをした瞬間に、相手の集中力はパッと消えるのです。

池上彰さんは、「こうなんですよ」と言ったあとに息が止まっています。歌の上手な人は1回のブレスでたくさんの空気を吸うので、息継ぎの回数は少なくなります。

歌のヘタな人は息継ぎの回数が多いので、1つの文章がまとまって聞こえてこないのです。

ひと息で言える量が多いと、話の仕方にメリハリをつけられます。

間(ま)では息継ぎをしないようにします。

ただ間(あいだ)があいているのは、スキ間で息継ぎをしている瞬間です。

堺雅人さんは肺活量が大きいのです。

ドラマ『半沢直樹』でも『リーガルハイ』でも、ダーッと話している間(あいだ)は息継ぎをしないから、聞いている側にドドドドッと説得力を感じさせる話になるのです。

ココ一番で大切なところ、文章で言えば、ヘッドコピーとか太字にしたいところでは息継ぎをしないようにします。

ただし、間（あいだ）はとっていいのです。

息継ぎをしてはいけないと言うと、早口になる人がいます。

肺活量が少ないからです。

慌ただしく余裕のない状態では、説得力が出ないのです。

好かれる人の話し方　53

間（ま）では、息継ぎをしない。

54

流暢でないほうが伝わる。

話が流暢すぎると、聞き流されてしまいます。

セールストークのようになるのです。

キャバクラの女性に流暢に話されると、「いつもしている話だな」「ネタになっちゃっているな」「今日はいろんなところで同じ話を10回ぐらいしているな」と感じられて、印象に残らなくなります。

流暢になると、つまらないのです。


稲川淳二さんは、本当はもっと流暢に話せるのに、流暢でない話し方をします。

わざとまとまらないように、今、思いついたかのように話すのです。

人間の会話は、普通、そんなに理路整然とはいきません。

思いついたところ、思いついたところで話しています。

「そういえば、こういうことがあった」「そうだ。○○だわ」と言うことで、聞いている側は一緒についていけるのです。

私の本も、「そういえば、この話」「この話をしたら、次はこの話」というふうに、感情の流れでつないでいます。

それをロジカルに並べかえると、つまらなくなるのです。

論理的にはつながっていても、感情ではつながっていないからです。

だからといって、グダグダでもダメです。

会話の中で、「ここだけは噛んではいけない」というところがあります。

それは、「最初」と「キーワード」と「最後」の3つです。

稲川さんは、「ここは怖いぞ」というところでは噛みません。
それ以外のところでは力を抜いていいのです。
ピッチャーの配球と同じです。
打たせてとるところは打たせてとります。
三振をとるところはバシッと決めます。
大切なところは限られています。
「流暢でないほうがいいか、流暢なほうがいいか」という議論は間違いなのです。

好かれる人の話し方　54

最初と最後だけは、噛まない。

55 好かれる人は見えないものを共有し、好かれない人は見えないものを否定する。

コミュニケーションには、

①　見えるもののやりとり
②　見えないもののやりとり

という2通りがあります。

売上がいくらとか、いくら儲かっているとか、何点だったというのは、見えるもののやりとりです。

「夕日がきれいだな」とか「暑い暑いと言いながら、うっすら秋の気配ですね」というのは、見えないもののやりとりです。

この時点で、スマホを出して「27度だね」と言う人がいます。
「何度」という話をしているのではないのです。
「27度」と言う人は、見えるもので話そうとしています。
「秋の気配」は見えないものです。
見えないものを共有できる人と共有できない人とがいるのです。
究極は、文化の話ができる人とできない人とに分かれます。
自然と文化はイマジネーションの世界です。

見えないものを相手に指し示すのがプレゼンです。

「こんな本を出したら、絶対面白いですよ」と言うのは、今、世の中にないものです。
「今、このジャンルの本でこういうベストセラーが出ていて、売上がこれぐらいある」というのは、見えるものの話です。

見えるものでは、今あるものしかつくれません。

ウォルト・ディズニーも、今ないものとしてディズニーランドをつくりました。

見えないものを共有し、コミュニケーションできるかどうかが、好かれる人と好かれない人の分かれ目です。

好かれる人は見えないものを話し、好かれない人は見えるものを話します。

「見えるもののほうが説得力がある」というのは、間違いです。

音楽や絵画などの芸術が存在するのは、見えないものに説得力があるからです。

数値化できないものをやりとりできるかどうかは、その人の文化度なのです。

好かれる人の話し方　55

見えないもので、コミュニケーションしよう。

56

見えないものは、心に焼きつく。

見えないもので説得できる人は、それが自分の中でありありと見えています。

見えないまま説得しているわけではありません。

TVショッピングよりラジオショッピングのほうが売れるということでも、それが証明されます。

ラジオショッピングは商品が見えていません。

パーソナリティーの説明だけで買うのに、返品率はラジオショッピングのほうが圧倒的に少ないのです。

TVで買った商品は、「想像していたのと違った」ということで返品になります。

見えないものを頭の中で受取ったほうが強いのです。

今はパワーポイントの性能が上がっています。

それでも私はパワーポイントなしで話します。

そのほうが、より伝わるからです。

ホスピタリティーで卓越した技能を持つサービスの達人の平尾健治さんに、「初めて来た女性に今日のメニューを説明してください」とお願いしました。

平尾さんはメニューをわきに抱えたまま、「今日はですね、まず、前菜は……」と、目の前でエアーで調理していきました。

つくるプロセスを見せるのです。

そのほうがおいしそうに感じます。

「何か気になるものはありますか」とメニューを見せても、指で指し示すだけでは、聞いている側はイマジネーションが浮かびません。

「これはなんですか」と聞くと、「すみません、ちょっと聞いてまいります」と戻ってしまいます。
自分の頭の中に浮かんでいないのです。
自分が食べていない料理は説明できません。
その料理がありありとわかっていて、初めて説明できます。
文字だけの情報で、完成形が見えていないものは説明できないのです。
稲川淳二さんは、ちゃんと霊を見ているから語れるのです。
部屋の中の情景も、すべて見えています。
話し手が一番怖がりながら語っているのです。

好かれる人の話し方　56

相手が想像しているものを、受取ろう。

57 聞き手を、被害者にしない。

被害者になると、楽しくなくなります。

コミュニケーションが楽しいのは、被害者も加害者もないからです。

「ラッキーだった」と思える状態が一番楽しいのです。

飛行機の機内食で肉料理と魚料理が出ます。

誰かが肉料理を頼むと、「私も、私も」となります。

肉料理がだんだん少なくなって、うしろの席にまわってきた時には魚料理しか残りません。

航空会社の研修で、「こういう時にどう言えばいいんですか」と聞かれました。

飛行機の中での楽しみは食事です。

乗った瞬間からメニューをあけて、どちらにしようか考えています。

たまたまうしろの席に座っていると、肉料理がなくならないかとハラハラします。

そんなに余裕を持って置いていないのです。

「魚料理ならありますが」とか「魚しか残っていないんです。すみません」と言われると、自分たちが気の毒な状況になります。

そもそも「残っている」という言い方がイヤです。

コツは、気の毒そうな言い方をしないことです。

「魚料理をご用意させていただいております。私も今日は魚にしようと思っていたので、ラッキーでした」と言うと、「ラッキーだった」という気持ちが残ります。

ホテルで、ツインをとりたかったのにダブルしか残っていないことがあります。
「ダブルしか残っていないんです」ではなく、「ダブルの部屋をご用意させていただいています」と言われると、同じダブルの部屋しか残っていない状況でも「ラッキーだった」と思えます。

言葉1つで、気の毒な状態にも、ラッキーな状態にもなるのです。

フライトアテンダントに限らず、どの職業でも同じことが言えるのです。

好かれる人の話し方　57

「魚料理ならありますが」ではなく、「魚料理をご用意させていただいております」と言おう。

58

名前を聞かれるのは、聞き手の名誉だ。

好かれる人は、講演後の質問者に対して、まず「お名前は?」と聞きます。

これがうまいのです。

あせっていると、名前を聞く前に質問を聞いて、質問に答えるだけで終わります。

質問者は、自分の事を覚えてほしいのです。

好かれない人は、あまり相手の名前を聞きません。

むしろ名前を聞くのは失礼だと思っています。

そもそも質問の答えに名前は関係ないのです。
名前は名刺を出せばすみます。
外国人は、名刺を重要視する習慣がないかわりに、相手に名前を聞く習慣があります。
名前を聞かれると、受入れがたいことも受入れられるようになります。

先日、免許更新会場で視力検査をした時に、０．７に届かなかったのです。
警察の人はさすがです。
「中谷さん、眼鏡かけましょうか」と、名前を呼ばれたのです。
それで、私は気持ちよく受入れることができました。
名前を呼ばれなければ、受入れられませんでした。
これは警察官の話法です。

捜査一課の取調べで「〇〇さん、もうラクになりましょうよ」と言われると、犯人は白状します。

名前を呼ばれなければ、頑張れます。

名前を呼ばれると味方っぽいニュアンスがあって、つい白状してしまうのです。

さすが捜査一課だと納得しました。

これは日常会話でも使えます。

お店が満席で予約がとれなかった時に、ただ「満席なんですよ」と言われると、弾き飛ばされた感があります。

「中谷さん、満席なんですよ」と言われたら、「ゴメン、ありがとう。無理しないで」という気持ちになります。

これが名前マジックです。

交渉人は、人質をとって立てこもっている人やテロリストに対して、最初に自分の名前を名乗ってから、相手の名前を聞きます。

犯人は普通、自分から名前を名乗りません。

「じゃ、なんて呼べばいい？」と聞くと、ニックネームを教えてくれます。

名前を呼ぶことで、相手との距離が近づいていくのです。


名前を聞くにもベストのタイミングがあります。

最初に聞くのも、もちろんありです。

気がきくウエイターさんは、ドリンクのおかわりを頼もうとして「すみません」と言った時に、すでにドリンクのおかわりを持っています。

この時に「あれ、なんでわかったの。名前教えて」と言われたら、うれしいです。

相手をほめた直後に名前を聞くのがベストタイミングです。

「ウーロン茶まだですか」

「すみません、遅くなりました」

「君、名前は？」

というのは、ワーストタイミングです。

間違ったタイミングで名前を聞かないようにします。

名前を聞くにはタイミングが大切なのです。

好かれる人の話し方 58

いい質問をした人の名前を聞こう。

59 ごはんを食べながら話すと、話しやすい。

話が苦手な人は、誰かと食事に行く時に、あらかじめお店を予約しておいたほうがいいのです。

ごはんを食べることで、間がもちます。

注文する時にお店の人も入ってきます。

予約しないと、並んで待っている間に無言で何もすることがないのです。

これでよけい緊張度が高まります。

一緒に何かをしながら話すのがコツです。

相手に話しかけてもらうために何もしていない状況をつくると、よけい話しかけにくくなります。

ｉＰｏｄでイヤホンをしている人は、一見、話しかけにくいのです。

ところが、不思議なことに、そういう人ほど話しかけられます。

話しかけられるのを待っている人には、話しかけにくいのです。

スーパーマーケットでは、通常、棚卸は開店前にします。

あるスーパーマーケットでは、お客様とコミュニケーションするために、開店してから棚卸を始めることにしました。

棚の入れかえをしていると、「すみません、これを探しているんですけど、どこにありますか」と、お客様がどんどん話しかけてきます。

作業している人のほうが話しかけやすいのです。

電気製品の量販店で、ただ立っている店員に話しかける人はあまりいません。

ほかのお客様を接客している人に、次のお客様がまた話しかけます。

これが人間の心理です。

どんなロベタな人でも、何かをしている人には話しかけやすいし、何かをしていると自分も話しやすいのです。

何かしているといっても、スマホは「話しかけないでね」オーラが出ています。

会社の上司は「忙しい時に話しかけるな」と言いますが、実はあれは理にかなっています。

忙しそうにしているから話しかけやすいのです。

ヒマそうにしている人には話しかけにくいです。

話しかけられたければ、何かをすることです。

好かれる人の話し方　59

何かしながら、話そう。

60

結論がうしろに来るところに、日本語の味わいがある。

英語はロジカルな言葉です。

日本語は、きわめて感覚的な言葉です。

ロジックがなくても、ロジックがあるように感じてしまうのが日本語です。

結論がないところが、日本語の味です。

鎌倉時代の歌人・藤原定家は新古今和歌集の中で、「見渡せば花も紅葉もなかりけり　浦の苫屋の秋の夕暮」と歌っています。

日本人としては、よくわかります。

これは英訳できません。

「見渡せば花も紅葉も」のところで、大道具さんは花と紅葉を用意します。

それなのに、「なかりけり」と言うのです。

「エッ、いらないの？」と、ズッコケます。

ないことを歌っているのです。

結論がうしろに来るところに日本語の味わいがあります。

「花と紅葉」を一瞬思い浮かべて、それがないことによって、「浦の苫屋」というひなびたところの秋の夕暮れのわびしさ、寂しさを描くのです。

英語では、これができません。

「There is no ～」で始まるので、最初から花も紅葉もないことがわかっています。

「花と紅葉」を一度思い浮かべて、それをフワッとオーバーラップで消していくところに、この歌の味わいがあるのです。

論理の積み重ねから、感覚が生まれます。

それは、手品のようなものです。

手品は、論理の積み重ねで成り立っています。

ところが、そこに起こる現象は、感覚的なものになります。

感覚的なものも味わうことが、大切なのです。

好かれる人の話し方　60

論理と感覚のどちらも味わおう。

61 感情は、論理で伝わる。

私は今、日本語と英語の違いから、藤原定家の歌の味わい方をきわめてロジカルに説明しました。

大切なことは、まず、ロジックを覚えることです。

私は、ビジネスコミュニケーション講座で、世界に通用するビジネスマンを育てるための話し方を教えています。

世界の共通語は、英語ではなく、ロジックです。

ロジックで話ができるかどうかが、好かれる人と好かれない人の違いです。

好かれる人はロジックのある話ができます。

好かれない人はロジックで話せません。

「感覚でわかれよ」と言うのです。

感覚的で感性のある言葉ほど、ロジックで説明することです。

感覚を感覚で通そうとしても、プレゼンは通りません。

プレゼンでは、「○○をやりましょう。なぜならば△△だから」と、ロジックを積み上げていきます。

ここには曖昧な表現は出てきません。

「わかるだろう？　ほら、わからないかな」では通じないのです。


「私は感性で勝負したい」と言う人がいます。

ロジックを感覚で伝えるのは、ありです。

感性はロジックで伝えないと伝わりません。

「感覚」と「ロジック」のどちらが大切かということではないのです。

感性とロジックが行ったり来たりすることによって、相手に伝わります。

最終的な目的は、伝えることではなく、相手を動かすことです。

「私は伝えました」で終わりではありません。

「伝わった」イコール「動く」ではないのです。

相手を動かすためには、どういう言い方をすればいいかです。

コミュニケーションの１つの目的は、みんなで１つの共通の方向に進んでいくことです。

「言うだけのことは言った」ということが最終目標ではありません。

伝えることは、あくまでも手段の１つなのです。

好かれる人の話し方　61

感性こそ、ロジックで伝えよう。

おわりに

62 話し方の達人に、出逢う。

私が一番話し方の勉強をしたのは浪人時代です。
予備校の先生は、大学の先生より圧倒的に話し方がうまいのです。
予備校では生徒の人気が反映されます。
大学は、生徒が来なくても給料は変わらないし、契約も続きます。
予備校は、生徒が来ないと次の契約がなくなるのです。
駿台予備校には、そうそうたる話芸の達人がいました。
しかも、私はそこに2年も通いました。
2年目は去年聞いている授業です。

授業のコンテンツより、むしろひたすら話し方を聞いていました。そうやって、いろいろな話芸を持っている、そうそうたる先生たちの話し方を身に付けたのです。

でも、授業のコンテンツ自体は身に付けなかったので、東大は落ちました。でも、話芸が残ったことには感謝しています。

博報堂に入ると、今度はプレゼンテーションを覚えていきました。これまたそうそうたるプレゼンの話芸の達人がいます。お金が絡んでいるので、生きるか死ぬかの真剣な世界です。歴戦の猛者がいるのです。

会社に入った時に「**中谷君、企画はベテランも新人の中谷君も同じだ。違うのは、それをプレゼンで通す力だ。それがベテランはやっぱりうまいんだよ。**企画は、ひょっとしたら中谷君のほうがうまいかもしれないけどね」と言われました。

実際、どんなにいい企画でも、プレゼンで通らなければ日の目を見ません。

「この企画は絶対面白いはずだ」といくら言っても、話し方を勉強しなければ通らないのです。

やりたいこともできないし、チャンスもつかめなくなります。

「駿台」と「博報堂」という2つのデータベースが、私の二大修業地です。

現役で東大にスルスル通っていたら、今日の私はありません。

寄り道をしたからこそ、それを学ぶことができたのです。

あなたの身の回りにも、巻き込む話し方の達人はいます。

話の中身より、話し方に注意して、どこに巻き込まれるのか、分析してみましょう。

そして、真似してみましょう。

説得されるのは、不快です。
話に巻き込まれるのは、快感です。
聞き手は、あなたの話を聞きたいのではありません。
あの人は、あなたの話に巻き込まれたいのです。

好かれる人の話し方　62

話芸の達人に、学ぼう。

中谷彰宏　主な作品一覧

【ダイヤモンド社】

『60代でしなければならない50のこと』
『面接の達人 バイブル版』
『なぜあの人は感情的にならないのか』
『50代でしなければならない55のこと』
『なぜあの人の話は楽しいのか』
『なぜあの人はすぐやるのか』
『なぜあの人は逆境に強いのか』
『なぜあの人の話に納得してしまうのか［新版］』
『なぜあの人は勉強が続くのか』
『なぜあの人は仕事ができるのか』
『25歳までにしなければならない59のこと』
『なぜあの人は整理がうまいのか』
『なぜあの人はいつもやる気があるのか』
『なぜあのリーダーに人はついていくのか』
『大人のマナー』
『プラス1％の企画力』
『なぜあの人は人前で話すのがうまいのか』
『あなたが「あなた」を超えるとき』
『中谷彰宏金言集』
『こんな上司に叱られたい。』
『フォローの達人』
『「キレない力」を作る50の方法』

『女性に尊敬されるリーダーが、成功する。』
『30代で出会わなければならない50人』
『20代で出会わなければならない50人』
『就活時代しなければならない50のこと』
『あせらず、止まらず、退かず。』
『お客様を育てるサービス』
『あの人の下なら、「やる気」が出る。』
『なくてはならない人になる』
『人のために何ができるか』
『キャパのある人が、成功する。』
『時間をプレゼントする人が、成功する。』
『明日がワクワクする50の方法』
『ターニングポイントに立つ君に』
『空気を読める人が、成功する。』
『整理力を高める50の方法』
『迷いを断ち切る50の方法』
『なぜあの人は10歳若く見えるのか』
『初対面で好かれる60の話し方』
『成功体質になる50の方法』
『運が開ける接客術』
『運のいい人に好かれる50の方法』
『本番力を高める57の方法』
『運が開ける勉強法』

『バランス力のある人が、成功する。』
『ラスト3分に強くなる50の方法』
『逆転力を高める50の方法』
『最初の3年その他大勢から抜け出す50の方法』
『ドタン場に強くなる50の方法』
『アイデアが止まらなくなる50の方法』
『思い出した夢は、実現する。』
『メンタル力で逆転する50の方法』
『自分力を高めるヒント』
『なぜあの人はストレスに強いのか』
『面白くなければカッコよくない』
『たった一言で生まれ変わる』
『スピード自己実現』
『スピード開運術』
『スピード問題解決』
『スピード危機管理』
『一流の勉強術』
『スピード意識改革』
『お客様のファンになろう』
『20代自分らしく生きる45の方法』
『なぜあの人は問題解決がうまいのか』
『しびれるサービス』
『大人のスピード説得術』
『お客様に学ぶサービス勉強法』
『スピード人脈術』
『スピードサービス』
『スピード成功の方程式』
『スピードリーダーシップ』
『出会いにひとつのムダもない』
『なぜあの人は気がきくのか』
『お客様にしなければならない50のこと』
『大人になる前にしなければならない50のこと』
『なぜあの人はお客さんに好かれるのか』
『会社で教えてくれない50のこと』
『なぜあの人は時間を創り出せるのか』
『なぜあの人は運が強いのか』
『20代でしなければならない50のこと』
『なぜあの人はプレッシャーに強いのか』
『大学時代しなければならない50のこと』
『あなたに起こることはすべて正しい』

【きずな出版】

『チャンスをつかめる人のビジネスマナー』
『生きる誘惑』
『しがみつかない大人になる63の方法』
『「理不尽」が多い人ほど、強くなる。』

中谷彰宏　主な作品一覧

『グズグズしない人の61の習慣』
『イライラしない人の63の習慣』
『悩まない人の63の習慣』
『いい女は「涙を背に流し、微笑みを抱く男」とつきあう。』
『ファーストクラスに乗る人の自己投資』
『いい女は「紳士」とつきあう。』
『ファーストクラスに乗る人の発想』
『いい女は「言いなりになりたい男」とつきあう。』
『ファーストクラスに乗る人の人間関係』
『いい女は「変身させてくれる男」とつきあう。』
『ファーストクラスに乗る人の人脈』
『ファーストクラスに乗る人のお金2』
『ファーストクラスに乗る人の仕事』
『ファーストクラスに乗る人の教育』
『ファーストクラスに乗る人の勉強』
『ファーストクラスに乗る人のお金』
『ファーストクラスに乗る人のノート』
『ギリギリセーーフ』

【リベラル社】
『20代をどう生きるか』
『30代をどう生きるか』【文庫】
『メンタルと体調のリセット術』
『新しい仕事術』
『哲学の話』
『1分で伝える力』
『「また会いたい」と思われる人「二度目はない」と思われる人』
『モチベーションの強化書』
『50代がもっともっと楽しくなる方法』
『40代がもっと楽しくなる方法』
『30代が楽しくなる方法』
『チャンスをつかむ 超会話術』
『自分を変える 超時間術』
『問題解決のコツ』
『リーダーの技術』
『一流の話し方』
『一流のお金の生み出し方』
『一流の思考の作り方』
『一流の時間の使い方』

【PHP研究所】
『自己肯定感が一瞬で上がる63の方法』【文庫】
『定年前に生まれ変わろう』
『メンタルが強くなる60のルーティン』
『中学時代にガンバれる40の言葉』

『中学時代がハッピーになる30のこと』
『もう一度会いたくなる人の聞く力』
『14歳からの人生哲学』
『受験生すぐにできる50のこと』
『高校受験すぐにできる40のこと』
『ほんのささいなことに、恋の幸せがある。』
『高校時代にしておく50のこと』
『お金持ちは、お札の向きがそろっている。』【文庫】
『仕事の極め方』
『中学時代にしておく50のこと』
『たった3分で愛される人になる』【文庫】
『「できる人」のスピード整理術』【図解】
『「できる人」の時間活用ノート』【図解】
『自分で考える人が成功する』【文庫】
『入社3年目までに勝負がつく77の法則』【文庫】

【大和書房】

『いい女は「ひとり時間」で磨かれる』【文庫】
『大人の男の身だしなみ』
『今日から「印象美人」』【文庫】
『いい女のしぐさ』【文庫】
『美人は、片づけから。』【文庫】
『いい女の話し方』【文庫】
『「女を楽しませる」ことが男の最高の仕事。』【文庫】
『男は女で修行する。』【文庫】

【水王舎】

『なぜ美術館に通う人は「気品」があるのか。』
『なぜあの人は「美意識」があるのか。』
『なぜあの人は「教養」があるのか。』
『結果を出す人の話し方』
『「人脈」を「お金」にかえる勉強』
『「学び」を「お金」にかえる勉強』

【あさ出版】

『孤独が人生を豊かにする』
『気まずくならない雑談力』
『「いつまでもクヨクヨしたくない」とき読む本』
『「イライラしてるな」と思ったとき読む本』
『なぜあの人は会話がつづくのか』

【すばる舎リンケージ】

『仕事が速い人が無意識にしている工夫』
『好かれる人が無意識にしている文章の書き方』
『好かれる人が無意識にしている言葉の選び方』
『好かれる人が無意識にしている気の使い方』

【日本実業出版社】
『出会いに恵まれる女性がしている63のこと』
『凛とした女性がしている63のこと』
『一流の人が言わない50のこと』
『一流の男 一流の風格』

【河出書房新社】
『一流の人は、教わり方が違う。』【新書】
『成功する人のすごいリアクション』
『成功する人は、教わり方が違う。』

【青春出版社】
『50代「仕事に困らない人」は見えないところで何をしているのか』
『50代から成功する人の無意識の習慣』
『いくつになっても「求められる人」の小さな習慣』

【自由国民社】
『不安を、ワクワクに変えよう。』
『「そのうち何か一緒に」を、卒業しよう。』
『君がイキイキしていると、僕はうれしい。』

【現代書林】
『チャンスは「ムダなこと」から生まれる。』
『お金の不安がなくなる60の方法』
『なぜあの人には「大人の色気」があるのか』

【ぱる出版】
『品のある稼ぎ方・使い方』
『察する人、間の悪い人。』
『選ばれる人、選ばれない人。』

【DHC】
『会う人みんな神さま』ポストカード
『会う人みんな神さま』書画集
『あと「ひとこと」の英会話』

【ユサブル】
『迷った時、「答え」は歴史の中にある。』
『1秒で刺さる書き方』

【大和出版】
『自己演出力』
『一流の準備力』

【海竜社】
『昨日より強い自分を引き出す61の方法』
『一流のストレス』

【リンデン舎】
『状況は、自分が思うほど悪くない。』
『速いミスは、許される。』

【毎日新聞出版】
『あなたのまわりに「いいこと」が起きる70の言葉』
『なぜあの人は心が折れないのか』

【文芸社】
『全力で、1ミリ進もう。』【文庫】
『贅沢なキスをしよう。』【文庫】

【総合法令出版】
『「気がきくね」と言われる人のシンプルな法則』
『伝説のホストに学ぶ82の成功法則』

【エムディエヌコーポレーション】
『カッコいい大人になろう』

【彩流社】
『40代「進化するチーム」のリーダーは部下をどう成長させているか』

【かざひの文庫】
『そのひと手間を、誰かが見てくれている。』

【学研プラス】
『読む本で、人生が変わる。』

【WAVE出版】
『リアクションを制する者が20代を制する。』

【二見書房】
『「お金持ち」の時間術』【文庫】

【ミライカナイブックス】
『名前を聞く前に、キスをしよう。』

【イースト・プレス】
『なぜかモテる人がしている42のこと』【文庫】

【第三文明社】
『仕事は、最高に楽しい。』

[著者プロフィール]

中谷彰宏（なかたに あきひろ）

1959年、大阪府生まれ。早稲田大学第一文学部演劇科卒業。84年博報堂入社。CMプランナーとして、テレビ、ラジオCMの企画、演出をする。91年独立し、（株）中谷あきひろ事務所を設立。ビジネス書から、恋愛エッセイ、小説まで多岐にわたるジャンルで、数多くのベストセラー、ロングセラーを送り出す。「中谷塾」を主宰し、全国で講演・ワークショップ活動を行なっている。

※本の感想など、どんなことでもお手紙を楽しみにしています。
他の人に読まれることはありません。**僕は本気で読みます。**

中谷彰宏

〒460-0008　名古屋市中区栄3-7-9　新鏡栄ビル8F
株式会社リベラル社　編集部気付　中谷彰宏　行

※食品、現金、切手等の同封はご遠慮ください（リベラル社）

[中谷彰宏　公式サイト] https://an-web.com

中谷彰宏は、盲導犬育成事業に賛同し、この本の印税の一部を（公財）日本盲導犬協会に寄付しています。

装丁デザイン　大場君人
本文デザイン・DTP　尾本卓弥（リベラル社）
編集人　伊藤光恵（リベラル社）
営業　廣田修（リベラル社）
制作・営業コーディネーター　仲野進（リベラル社）

編集部　鈴木ひろみ・中村彩
営業部　津村卓・澤順二・津田滋春・青木ちはる・竹本健志・春日井ゆき恵・持丸孝・榊原和雄

※本書は2015年に小社より発刊した『一流の話し方』を文庫化したものです

好かれる人は話し方が9割

2022年5月26日　初版

著　者　中谷 彰宏
発行者　隅田 直樹
発行所　株式会社 リベラル社
〒460-0008　名古屋市中区栄3-7-9　新鏡栄ビル8F
TEL 052-261-9101　FAX 052-261-9134　http://liberalsya.com
発　売　株式会社 星雲社（共同出版社・流通責任出版社）
〒112-0005　東京都文京区水道1-3-30
TEL 03-3868-3275

 ISBN978-4-434-30378-4　C0130

30 代をどう生きるか：楽しむための 63 の方法

（文庫判／208 ページ／720 円＋税）

30 代は、迷う時代です。まだ自分探しをしている人もいます。
大切なのは、探すことより、今与えられた状況を味わい尽くすことです。

一緒に何かをしたい人は、「人生を楽しんでいる人」です。「楽しんでいる」イコール「成功している」ではありません。今、自分がいる場所で「楽しむ」という価値基準でいることが大切なのです。
※本書は 2018 年に小社より発刊した書籍の文庫版です。